医療
暮らし
営業
雇用
教育
検査

新型コロナから命と暮らしを守る

志位委員長の国会質問

日本共産党中央委員会出版局

新型コロナから命と暮らしを守る
志位委員長の国会質問

目　次

雇用危機打開　検査と保健所　学びの保障
新局面のコロナ対策
切実な願いもとに提案

衆議院予算委員会　志位和夫委員長の質問

日本共産党の志位和夫委員長が2020年6月10日の衆議院予算委員会で行った第2次補正予算案に対する質疑は次の通りです。

志位和夫委員長　私は、日本共産党を代表して、安倍総理に質問します。

冒頭、新型コロナウイルス感染症でお亡くなりになった方々への心からの哀悼とともに、闘病中の方々にお見舞いを申し上げます。医療従事者をはじめ、社会インフラを支えて頑張っておられる方々に感謝を申し上げます。

志位　「雇用調整助成金の支給遅れは重大。ドイツのようなごく簡素な申請、事後チェックの制度に転換を」

首相　「ドイツの制度についても参考にさせていただきたい」

休業者への手当てが遅れれば、大量解雇、大量倒産は避けられない

志位　まず、雇用危機をどう打開するかについて質問します。

新型コロナ危機が続くもと、雇用危機がきわめて深刻です。総務省の4月の労働力調査によりますと、非正規労働者の数は前年同月比で97万人減少、営業自粛などによる休業者は過去最高の597万人になりました。

空前の規模となっている休業者を失業者にしてはなりません。そのために、新型コロナの影響で業績が悪化した企業を支援する雇用調整助成金（雇調金）の役割は、きわめて大きなものがあります。

そこで、まずうかがいますが、休業者数は、政府の調査でも597万人にのぼりますが、雇調金の支給決定件数は現時点で6万9898件です。一体、何人の休業者に雇調金が手当てされているのですか。

加藤勝信厚生労働相　いま委員のお話にありました6月、6万9898件、これは8日時点で、9日時点では約7万6000件となっております。何人という調査そのものは、雇調金申請の簡略化のため一個一個とっておりませんが、サンプル調査をしたところ、支給1件あたりの労働者数は約19人です。したがっていまお示しいただいた6万9898件で掛け算をすると、約33万人という数字になります。

志位　33万人という数字ですが、政府調査でも休業者は約600万人ですよ。雇調金の対象となる時短休業労働者を加えると1000万人を超えるわけです。ですから、ごく一部分しか対象になっていない。

パネル（1）をご覧ください。

これは雇調金の推移であります。相談件数は44万5019件、6月2日までの数字しかありませんので、実際はさらに伸びていると思われます。申請書提出件数は12万8541件、支給決定件数は6万9898件。（支給決定件数は9日時点で）若干伸びたという話もありましたが、この相談件数と支給件数、この間に大きなギャップがあるわけです。深刻な遅れが続いているわけです。

パネル1

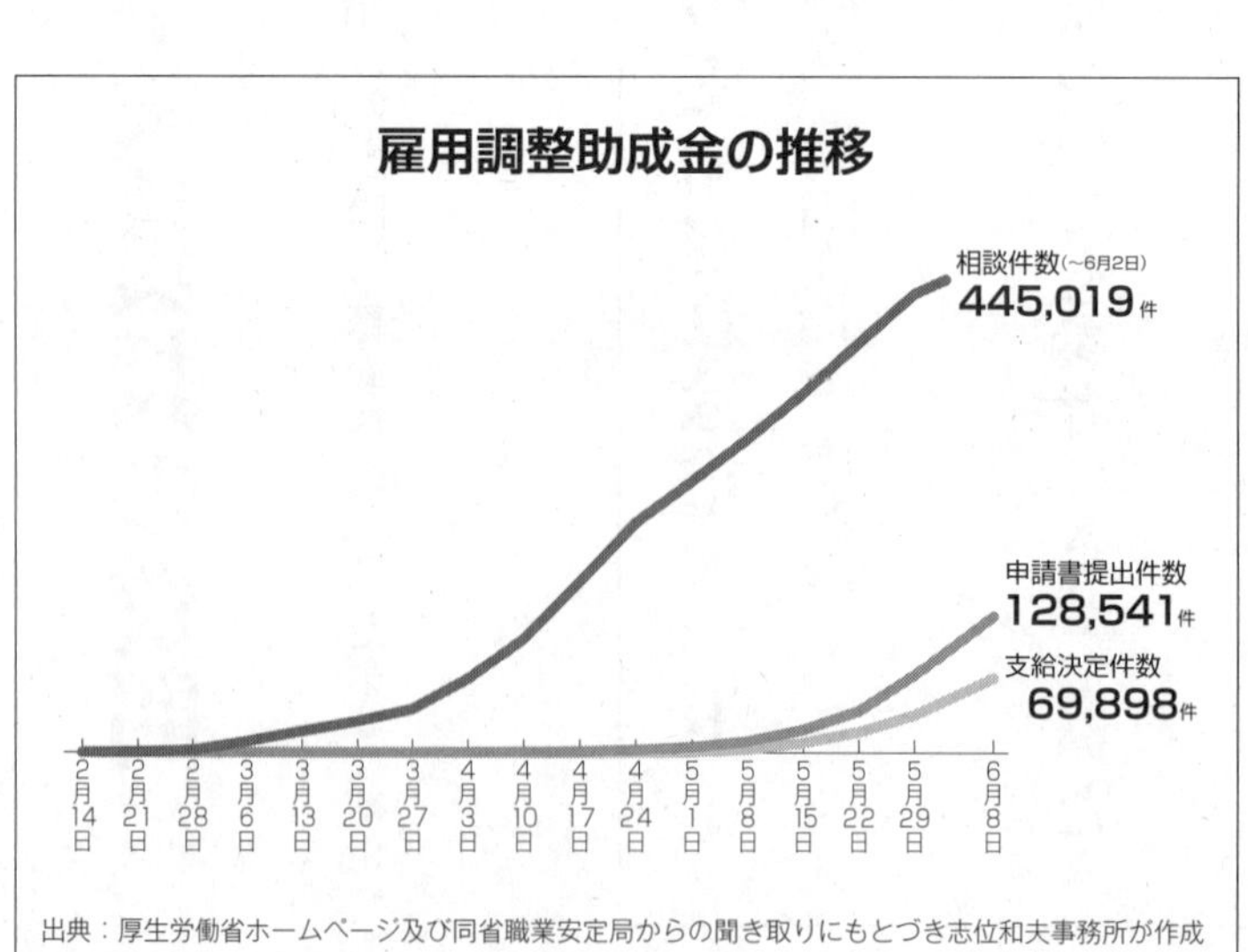

出典：厚生労働省ホームページ及び同省職業安定局からの聞き取りにもとづき志位和夫事務所が作成

中小企業・小規模事業者の現場の声を聞きますと、「労働局の電話がつながらない」、「賃金台帳や出勤実態など、添付書類が多く煩雑だ」、「申請書が受理されるまで何度も書類の出し直しが求められる」、「自力では申請ができず、社会保険労務士を探した

が、混みあっていると断られた」など、申請書を提出するまでにたくさんのハードルがあると、共通して訴えられました。

支給の展望がもてずに、従業員の一部を解雇せざるをえない、あるいは「あきらめ倒産」に追い込まれたなどの訴えも多く寄せられております。

総理に基本認識をうかがいます。休業者への手当てが遅れれば、大量解雇、大量倒産は避けられません。それを防ぐには、この広がっているギャップを、一刻も早く埋める必要があると考えますが、総理にはそういうご認識はありますか。

質問する志位和夫委員長＝2020年6月10日、衆議院予算委員会

安倍晋三首相　いまおっしゃっているのは、相談件数と支給決定件数のギャップだと思います。もちろん申請をしていただいて、それに対応していくことですが、雇用を維持していくことは政治にとって最大の使命だと考えております。安倍政権においても発足以来、それを最大の使命と考えて政策を進めてきたところですが、今般の感染拡大に伴う雇調金の支給状況について、先ほど現在の状況について加藤大臣からお答えをさせていただきましたが、約7万件ということでございます。ただ、出だしにおいてなかなか、さまざまなご指摘もございました。前回（第1次補正予算で）国会でご質問いただいたときは、まだ200件とか数百件程度しか対応できていなくて、とにかくスピードを上げていくことを全力で対応させていただいたところですが、一刻も早く雇調金を届けるために、手続きの簡素化、そして支給の迅速化に努めています。そして、直近においては申請から支給までの期間を平均で15日程度まで短縮してきたところでございます。

「思い切って発想を変える」というなら、ドイツのような制度への転換を

志位　簡素化に努めているとおっしゃいましたけれども、あとでもお話しいたしますが、なお煩雑な添付書類があるんです。それから（平均で）15日程度とおっしゃいました。それは申請から給付までであって、申請に行きつくのが大変なんですよ。それはさっきの図が示しております。

私は、4月29日の当委員会での質疑で、「審査してから給付」では間にあわない、「まず給付し審査は後で」に切り替えるべきだと訴えましたが、いまそういう大転換が必要だと思います。

ドイツには「クルツアルバイト」――時

短労働給付金制度という日本の雇調金と同じ種類の制度があります。やむを得ない事情で企業が従業員の労働時間を短縮する場合、従業員の賃金減少分の6割を国が補てんするものです。

驚くことに、ドイツ連邦政府の発表によりますと、3月から4月26日までの2カ月足らずの期間に、75万1000件、1010万人の労働者の時短・休業がこの給付金制度でカバーされたといいます。日本でいえば1500万人に匹敵する労働者が対象となっている。

なぜ驚くほどのスピードか。

体制強化もあります。ドイツでは時短労働者給付金の処理のために、連邦雇用庁の人員を14倍にして8500人体制であたったといいます。

同時に、日本と決定的に違うのは、申請と審査の進め方です。

パネル（2）をご覧ください。

ドイツの「クルツアルバイト」の申請書類です。新型コロナ対応で申請書類が簡略化され、たった2種類になりました。一つは、左のもので、従業員に払う休業手当総額。二つ目は、右のもので、従業員ごとのリストです。

パネル2

ドイツ「クルツアルバイト」（時短労働給付金制度）の申請書類

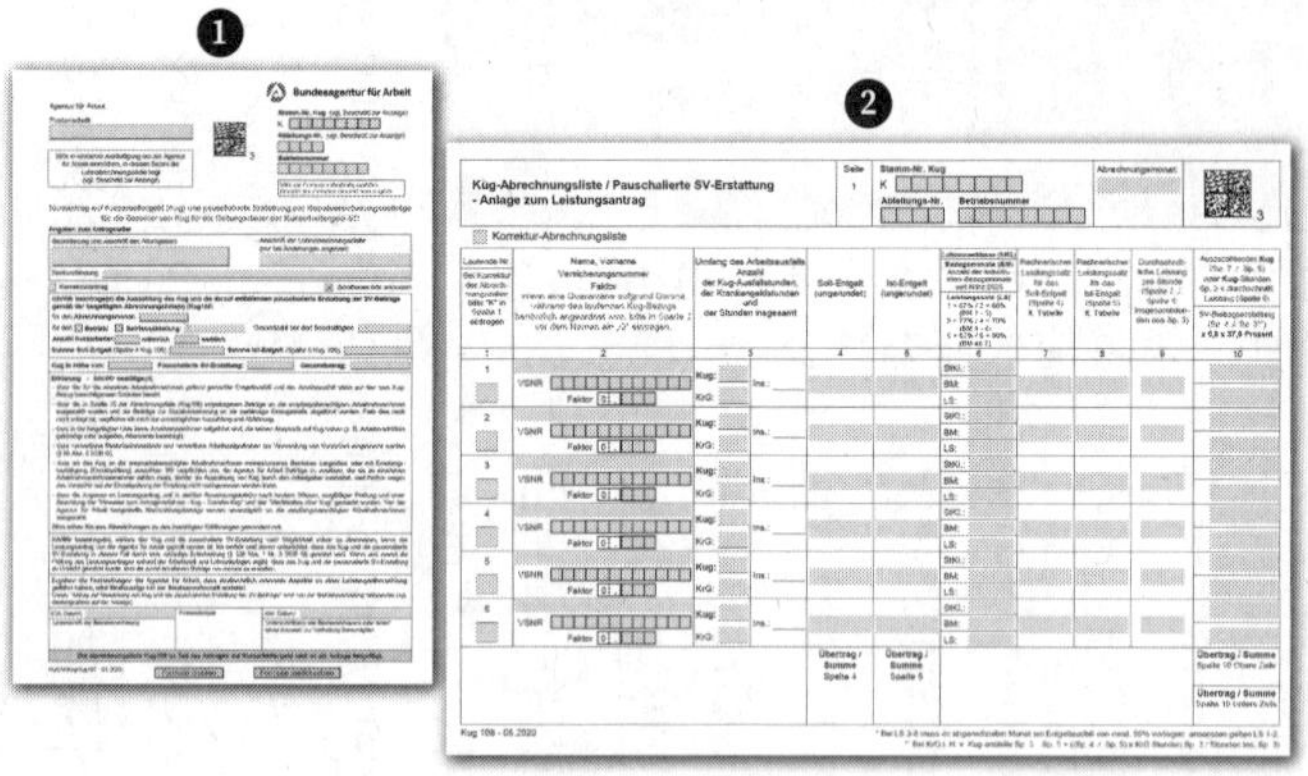

❶ Bundesagentur für Arbeit

❷ Kug-Abrechnungsliste / Pauschalierte SV-Erstattung - Anlage zum Leistungsantrag

出典：ドイツ連邦雇用庁のホームページ（https://www.arbeitsagentur.de/m/corona-kurzarbeit/）からダウンロードし、志位和夫事務所が作成

連邦政府の申請用紙をダウンロードして、記入し、オンラインで送るだけ。連邦雇用庁は、申請から15日以内に送金することを誓約しています。添付書類はいっさい必要ない。事前審査もありません。給付が先。審査は事後で、全数審査ではなく、抜き打ち・抽出審査のみです。雇用主は、事後チェックで不正が明らかになれば全額返金することを誓約する。こういう仕組みです。徹底した「性善説」でやっているわけです。

総理にうかがいたい。総理は、5月25日の記者会見で、雇調金の支給遅れを問われて、「いままでの審査のやり方でいくと時間がかかっているというのは事実であり、思い切って発想を変えることもとても大切」、「真剣に反省」が必要、こうのべました。「しっかりと性善説に立って対応していく」とものべました。4月28日の予算委員会では「不正などは事後対応」でもよいとものべています。

総理に提案したい。「思い切って発想を変える」「性善説に立って」というなら、ドイツのような制度、すなわち、ごく簡素な申請書類以外の書類の提出は求めない、給付が先、審査は事後チェックで、という制度への転換をはかるべきではないですか。600万人の休業者を失業者にしないためには、このくらいの転換が必要ではないですか。「思い切って発想を変える」と総理がおっしゃったんですから、総理がお答えください。

「申請を簡素にした」というが、多くの添付書類を求められる

厚労相　ドイツ等々、参考にすべきものは参考にしていくべきだと思います。ただ、ドイツも事業主の支払いが先という原則になっていることは申し上げておきたい。それからさっき33万人とお聞きになったかもしれませんが、１３３万人でありますし、直近の数字では１４４万人という状況です（**33万人という数字は厚労相の言い間違え——編集部**）。私どもとしてもできるだけの簡素化も進めさせていただきました。オンラインについては、2回スタートして途中で頓挫するという、これはおわびしなければならない。そうした作業を一つひとつ進めていく。

志位　いま大臣が簡素にしたとおっしゃいました。ただ、社会保険労務士のみなさんにお聞きしますと、「タイムカード、出勤簿、シフト表、給与明細、賃金台帳などの多くの添付書類がある。添付書類がそろえられず、申請までたどり着けない事業者が多い」、このように訴えておられます。しかも簡素にしたのは従業員20人以下の小規模事業所だけで、それを超えると極めて複雑かつ煩雑な手続きが強いられる。ですから中小企業家同友会は、「性善説」に立つというなら、「添付書類の廃止」を求めています。

上限額はイギリス並みに引き上げた、支給方法はドイツ式を取り入れよ

志位　今度は総理にお答えいただきたい。

私は、4月29日のこの委員会の質疑で、雇調金の上限額を2倍にして、イギリス並みの月33万円まで引き上げることを求めました。総理は、あのときにあれこれの理由をつけて難しいとおっしゃったが、結局、イギリス並みに引き上げました。やればできるじゃないですか。これは総理の意志一つなんです。これは評価したいと思います。ただ、事前審査の仕組みが変わっていないためにスピードが間に合わないんです。間に合わなかったらつぶれちゃう。限度額はイギリス並みに引き上げたのだから、いま大臣も参考にするとおっしゃったけど、支給方法はドイツ式を取り入れる、よいものは外国に学ぶ。総理、どうですか。

首相　いま委員がおっしゃったように、たしかにさまざまな国の制度があるわけで、総合的なものをよく見ていく必要がある。たとえばいまドイツの制度についても参考にさせていただきたいと思います。しかしドイツの制度も、われわれが把握しているところによりますと、ドイツにおける操業短縮手当は、申請から支払いまでの期間が、最大営業日で15日間ということです。日本の場合は平均でございますから、最大とは違いますが、日本は平均で15日間であるということは申し上げておきたい。

志位　ドイツも15日、申請からかかるということですが、日本は申請に行きつくまでが大変なんです。さっきの表に示されているわけでして、ですから総理、参考にす

るといまおっしゃった。ですから、良いものは全部取り入れる。総理が「思い切って発想を変える」とおっしゃったんですから、600万人の休業者を救うためには制度を変えないとだめです。そのことを強く重ねて求めたいと思います。

志位「18道県知事の『緊急提言』をうけ、積極的検査戦略への転換を」

首相「自治体とも密接に連携しながら検査体制の整備をしっかり進めていく」

厚労相「（院内感染対策として）感染の可能性、端緒があれば、関係する人はすべて検査をする。費用は全額公費負担とする」

無症状者も含め検査対象者を適切かつ大規模に拡大し、先手を打って感染拡大防止を

志位　感染拡大の「第2波」に備えた、検査体制と保健所体制の強化についてうかがいます。

経済・社会活動を再開させつつ、再度の緊急事態宣言を回避するために最大の力を注がなければなりません。そのためには、「第2波」の兆候を的確につかみ感染拡大を早期に封じ込める、検査体制の抜本的強化が必要です。

今日、提案したいのは、政府として、これまでの検査のあり方を根本から見直し、積極的な検査戦略への転換を行うということです。

パネル（3）をご覧ください。

5月11日、広島、岩手、愛知など18道県の知事が、「感染拡大を防止しながら一日も早く経済・社会活動を正常化し、日常を取り戻すための緊急提言」を発表し、「積極的感染拡大防止戦略への転換」を訴えました。その要点を抜き書きいたしました。読み上げます。

「有症者に対して受動的に検査を行うのではなく、発想を転換し、……適切に検査対象者を設定して検査を大規模に行い、……先手を打って感染拡大を防止する」

「ごく軽症も含むすべての有症者やすべての接触者への速やかな検査を行うとともに、……症状の有無に関わらず医療従事者及び入院者、並びに介護従事者及び介護施設利用者等、医療・介護・障害福祉の機能確保に重要な関係者については優先的に検査を行う」

PCR検査の検査能力を、現在の2万件からまず10万件に引き上げ、20万件をめざすとしています。

この「緊急提言」の考え方というのは、これまでのような強い症状が出た有症者に

対して受動的な検査を行うのではなくて、発想を転換して、無症状者も含めて検査対象者を適切かつ大規模に拡大し、先手を打って、「感染拡大を封じ込める攻めの戦略」を行おうというものです。

総理にうかがいたい。私は、「第2波」に備えて再度の緊急事態宣言を回避しなければならない。回避するためには、この「緊急提言」は積極的で合理的提案だと考えます。受動的検査から積極的検査への戦略的転換を、政府として宣言し、断固として実行に移すべきではありませんか。

パネル3

「積極的感染拡大防止戦略への転換」
（18道県知事の緊急提言）

- 「有症者に対して受動的に検査を行うのではなく、発想を転換し、……適切に検査対象者を設定して検査を大規模に行い……先手を打って感染拡大を防止する」
- 「ごく軽症も含むすべての有症者やすべての接触者への速やかな検査を行うとともに、……症状の有無に関わらず医療従事者及び入院者、並びに介護従事者及び介護施設利用者等、医療・介護・障害福祉の機能確保に重要な関係者については優先的に検査を行う」

出典：18道県知事による「感染拡大を防止しながら一日も早く経済・社会活動を正常化し、日常をとりもどすための緊急提言」（2020年5月11日）より引用

現場の医師まかせでなく、国の方針として積極的な検査戦略を宣言するべきだ

首相　PCR検査については、医師が必要と判断した方や、あるいは症状の有無にかかわらず濃厚接触者の方が確実に検査を受けられるようにすることが、重要だと考えています。また医療・介護従事者や入院患者等に対しても、感染が疑われる場合は、症状の有無にかかわらず検査を行うこととしています。

PCR検査体制については、保険適用による普及促進や抗原検査の活用による検査能力の増強に加えまして、唾液の活用などによる検体採取の体制拡充を急いでいきたいと、こう思っております。

こうした取り組みを推進するため、今般の第2次補正予算においては、委員ご指摘のPCR検査体制の整備のための経費のみならず、検査キット等の確保のための経費を大幅に拡充するとともに、検査設備の整備を支援する交付金を思い切って拡充し、そして全額国費負担とするなどですね、自治体とも密接に連携しながら検査体制の整備をしっかり進めていきたいと思っております。

志位　政府がこの間、濃厚接触者に対しては無症状の方でも検査を行うというふうに変えたことは、私は評価いたします。一歩前進だと思います。

ただ、いまの総理の答弁は、（いろいろと）努力するけれども結局は「医師が必要と判断すれば」と、現場の医師まかせになっている。私は、そうじゃなくて、国の方針としてこういう積極的な検査戦略を宣言するべきだと、実行すべきだと言っております。

これまでのような有症者に絞る検査では、結局、追えなくなって――（感染）経路不明者が増えて、感染経路が追えなくなって、そして緊急事態宣言に至ったわけ

であります。それを回避するためにも、こういう転換が必要だということを提起しているのであります。

「厚労省がわずかの予算を渋っていることが医療崩壊を招く」――この批判にどうこたえるか

志位　具体的にもう1問聞きます。医療・介護・福祉施設へのＰＣＲ検査をどうするかが焦点になってまいります。「日経ヘルスケア」によりますと、この間の医療機関の院内感染は約２１０カ所、介護・障害福祉サービス事業の施設内感染は約70カ所、「医療崩壊」「介護崩壊」に直結する深刻な事態が引き起こされました。どうやって院内・施設内感染を止めるか。

岐阜大学前学長で東京大学名誉教授の黒木登志夫氏は、最近発表した論文で、院内感染防止に成功した三つの病院――和歌山済生会有田病院、岐阜大学病院、東京医科歯科大学病院の取り組みを分析して、接触した可能性のある人、職員、入院患者のＰＣＲ検査を徹底して行ったことをあげて、次のようにのべています。

「この3例を通じて、院内感染の予防にはＰＣＲ検査がいかに重要であるかが分かります。しかし、分かっていないのは厚労省です。……院内感染を防ぐための接触者、職員などの無症状の人への感染確認の検査は、病院の負担になります。……厚労省がわずかの予算を渋っていることが病院クラスターを作り、医療崩壊を招くのです」

濃厚接触者については無症状の方も検査の対象にすることは、先ほど言ったように評価します。しかし、こういう問題があるわけです。

総理にうかがいます。政府に対するこの批判、どう受け止めますか。私は、少なくとも地域で感染拡大の兆しがあれば、医療・介護・福祉施設の関係者に対しては、国の責任において、無症状者も含めて積極的にＰＣＲ検査を行うという方針を明確にとるべきではないかと考えます。いかがですか。総理お答えください。

厚労相　委員からも評価いただきましたように、積極的疫学調査で、濃厚接触はこれまでは症状がある方を中心にしておりましたが、無症状の方もすべからく検査をするという方針を出させていただきました。無症状とお話をされていますが、全ての方が無症状ですから、そういった意味で全ての方を検査することはできないということは委員ご承知の通りであります。

そこに感染の可能性がある、その端緒があれば、例えば1人でも陽性者が発生している等々があれば、いま申し上げた積極的疫学調査を行って、そしてその関係する人は全てやる、これはいまの方針にありますし、その費用は、病院の負担ではなくて、これは行政検査ですから、国費あるいは地方公共団体が負担する。また、医療現場においても医師が必要と判断すれば、その方が仮に無症状であったとしても、これは別途、医療保険と、自己負担分は国費で適用する、こういう仕組みになっています。まさに知事会からもご提言があるように、ＰＣＲ検査含め、入院体制も含めて、しっかりこの機会に充実していきたい。

あと1点だけ、各都道府県に対しても、

検査体制に対して一定の前提を置いて、どういう形をとっていくべきなのか、いま、投げかけをさせていただいています。都道府県ともども一緒になって検査体制の充実を図りたいと思います。

専門家会議自身が「地域の流行状況に応じ、迅速にＰＣＲ検査を実施」と言っている

志位　先ほどの点（濃厚接触者に対しては無症状でも検査する方針）は評価しますが、濃厚接触と認められない医療・介護従事者は、依然として病院・施設の持ち出しになっているんです。だから、こういう批判があるんです。

政府の専門家会議自身が、院内感染、施設内感染対策として、「地域の流行状況に応じ、迅速に抗原検査やＰＣＲ等検査を実施」（5月29日、状況分析・提言）すると言っているわけです。18道県の知事の「緊急提言」を私は重く受け止めるべきだと、戦略的転換をやるべきだということを強く求めたいと思います。

志位　「保健所数の激減にこそ、保健所の疲弊をつくった原因があるとの認識はあるか」

首相　「市町村保健センターとの役割分担を行った」

志位　「反省がない。市町村保健センターに感染症対策はできない」

日本医師会会長も「削減しすぎはよくなかった」――削減方針の間違いは証明された

志位　次に進みます。

保健所の体制の抜本的強化の必要性は、コロナ危機を通じて痛いほど実感されました。5月29日の（政府の）専門家会議の（状況分析・）提言では、「保健所の業務過多」として、「電話がつながらない」、「相談から検査を受けるまで時間がかかる」、「検査が必要な者に対し、ＰＣＲ等検査が迅速に行えなかった」などをあげ、「保健所の体制強化」を訴えております。なぜ保健所の疲弊という事態が起こったか。

パネル（4）をご覧ください。

これは簡単な図でありますが、全国の保健所数は１９９０年の８５０カ所から、２０１９年に４７２カ所へと激減しました。今回、保健所の職員のみなさんは、不眠不休で奮闘されましたが、パンク状態に陥りました。総理、この間のこの削減にこそ、保健所の疲弊をつくりだした原因があるとの認識はありますか。総理、お答えください。

首相　保健所についてはですね、確かにご指摘のように近年減少傾向にはあります

パネル4

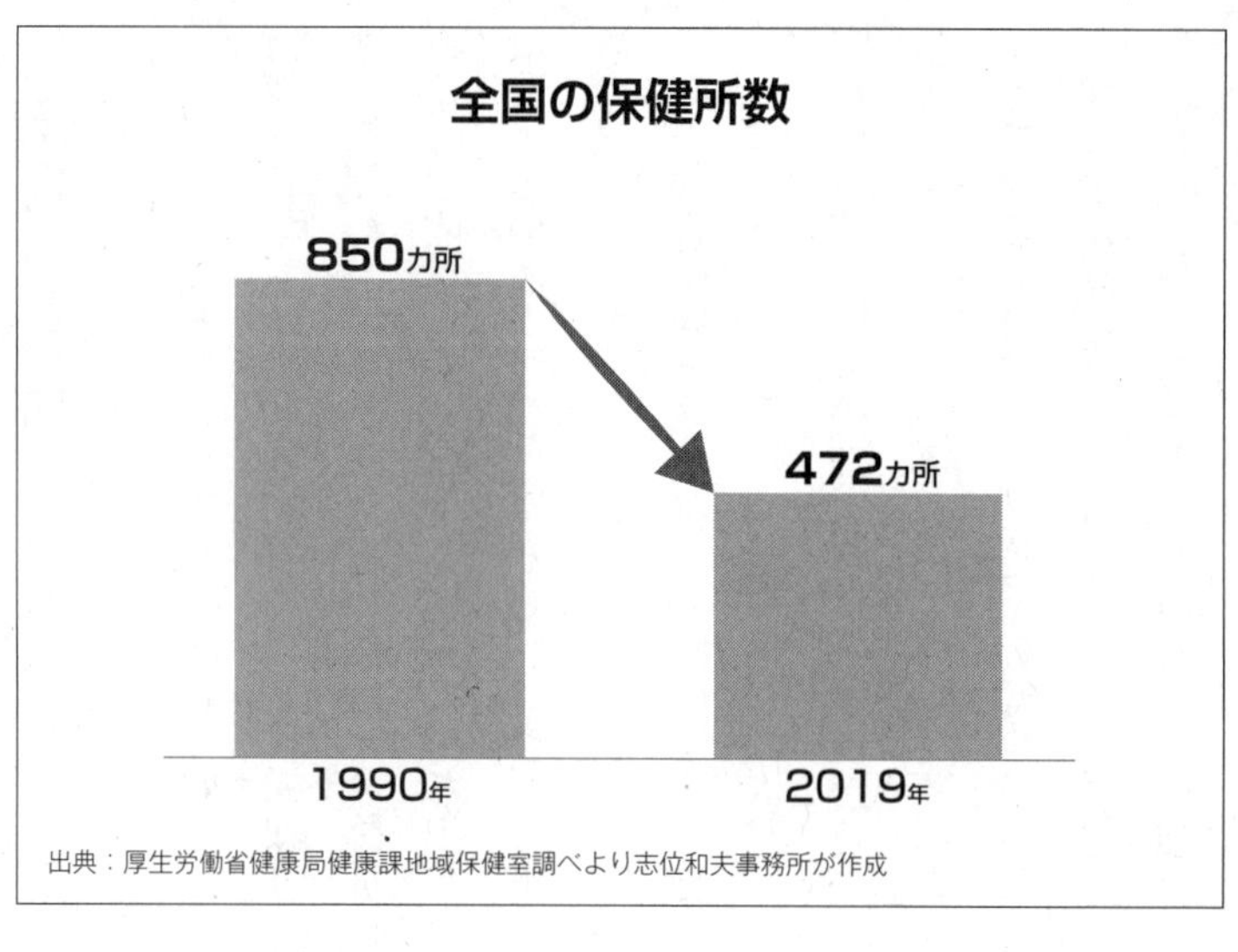

出典：厚生労働省健康局健康課地域保健室調べより志位和夫事務所が作成

が、市町村の保健センターとの役割分担の明確化や機能強化を進める中で、保健所の集約化が進んだ結果によるものと承知しております。そうした中で今回、感染者数の増大が見られた局面では、保健所の業務増大等によってですね、医師が必要と判断した方に対して、ＰＣＲ等の検査が迅速に行えない地域を生じてきたわけでございますが、接触機会の削減など国民のみなさんのご協力をいただく間に、検査体制の拡充を進めた結果、現在このような状況を改善できたと考えています。

志位　反省が見られません。いま、市町村保健センターとの役割分担をやっていると言いました。しかし、市町村保健センターというのは感染症対策はできませんよ。今度のコロナの問題でも、さまざまなＰＣＲ等の検査のアレンジ（手配）をやったのは全部保健所です。その保健所がこれだけ減っていることを問題にしている。職員数も3万５０００人から2万８０００人に減っております。

ですから、日本医師会の横倉（義武）会長は、最近の新聞のインタビューで、「バブル崩壊後の行政改革で保健所は半分近くに減少しました。職員数も減り、保健所の皆さんは今回、大変苦労された。削減しすぎたのはよくなかった」と一喝しているわけです。この数カ月の保健所のパンク状態が、削減の方針が間違いだったことを、私は、証明していると思う。

10年前の自らの警告を無視した、安倍政権の責任は重大

志位　総理にもう1問聞きます。重大なことは、今日の事態というのは10年前に警告されていたということです。２０１０年に発表された政府の『新型インフルエンザ対策総括会議報告書』は、次なる新型感染症の発生に対応するため、「保健所や地方衛生研究所を含めた感染症対策に関わる危機管理を専門に担う組織や人員体制の大幅な強化、人材の育成を進める」と提言しているのです。

にもかかわらず、安倍政権のもとでも、保健所の箇所数はさらに減少し、人員不足も解消されてないじゃないですか。総理、警告を無視して、今日の事態を招いた責任は安倍政権にある。反省すべきじゃないですか。政府の『報告書』にも背くことをやってきた。安倍政権の責任、反省してしっかりやるべきだと（考えます）。いかがですか。

厚労相　先ほど総理が申し上げたよう

に、この間の保健所の縮減は、市町村との役割分担の明確化、機能強化を進める中で進めてきたわけで、安倍政権の中で、例えば保健師の数でみれば、平成24年度7781人が平成29年度は8326人、保健所における保健師の数は増加しているという事実もあります。またこの間、新型コロナウイルス感染症の対応において、本当に保健所のみなさんには大変ご苦労いただき、また大変なご対応いただいて、心から感謝申し上げたいと思います。そうしたことに対して、医療機関の受診調整等に必要となる等々の人員の雇用に対する経費を助成するとともに、外部に対してそうした外部委託等々もお願いをしたところであります。

「第2波」にそなえて、一刻を争って保健所体制の強化を

志位　保健師の数を増やしたと言うんですが、職員の数はさっき言ったように大きく減っているんです。反省しなくちゃいけない。いろいろやると言うんですが、第2次補正予算案には、保健所の恒常的な体制強化のための予算は1円もありません。これでいいんですか。「第2波」にそなえて、しっかり予算をつけ、保健所体制の強化を、一刻を争って行うことを強く求めたいと思います。

さらに、深刻な経営危機に陥っている医療機関への減収補てん、コロナ対応の医療機関とともに、非コロナの医療機関に対しても、減収補てんを急いで行うことを強く求めます。

志位「一人ひとりの子どもに丁寧に寄り添い、心のケアにしっかり取り組む手厚い教育が必要ではないか」

首相「子どもたちの心に寄り添いながら、しっかりサポートしていく」

「コロナ×こどもアンケート」——かつてない不安とストレスを抱えている

志位　もう一つ、大事な問題をお聞きしたい。

子どもたちへの教育について質問いたします。これは総理の教育に対するお考えをしっかり語っていただきたいと思いますので、ぜひお答えいただきたい。

6月1日から全国の学校が3カ月ぶりに再開されました。子どもたちも保護者も、喜びとともに不安を抱えての再開になったと思います。

学年の締めくくりの時期と新しい学年の

スタートの時期を含む3カ月もの長期休校は、子どもたちに計り知れない影響を与えています。何よりも長期にわたって授業がなかったことは、子どもの学習に相当の遅れをもたらしました。子どもをとりまく環境の違いによって、学力の格差を広げたという点も深刻です。くわえて、子どもたちはかつてないような不安とストレスを抱えています。

国立成育医療研究センターが、緊急事態宣言発令中に全国の小中高の子どもを対象に「コロナ×こどもアンケート」を行い、1292人の子どもが回答しています。

パネル（5）をご覧ください。

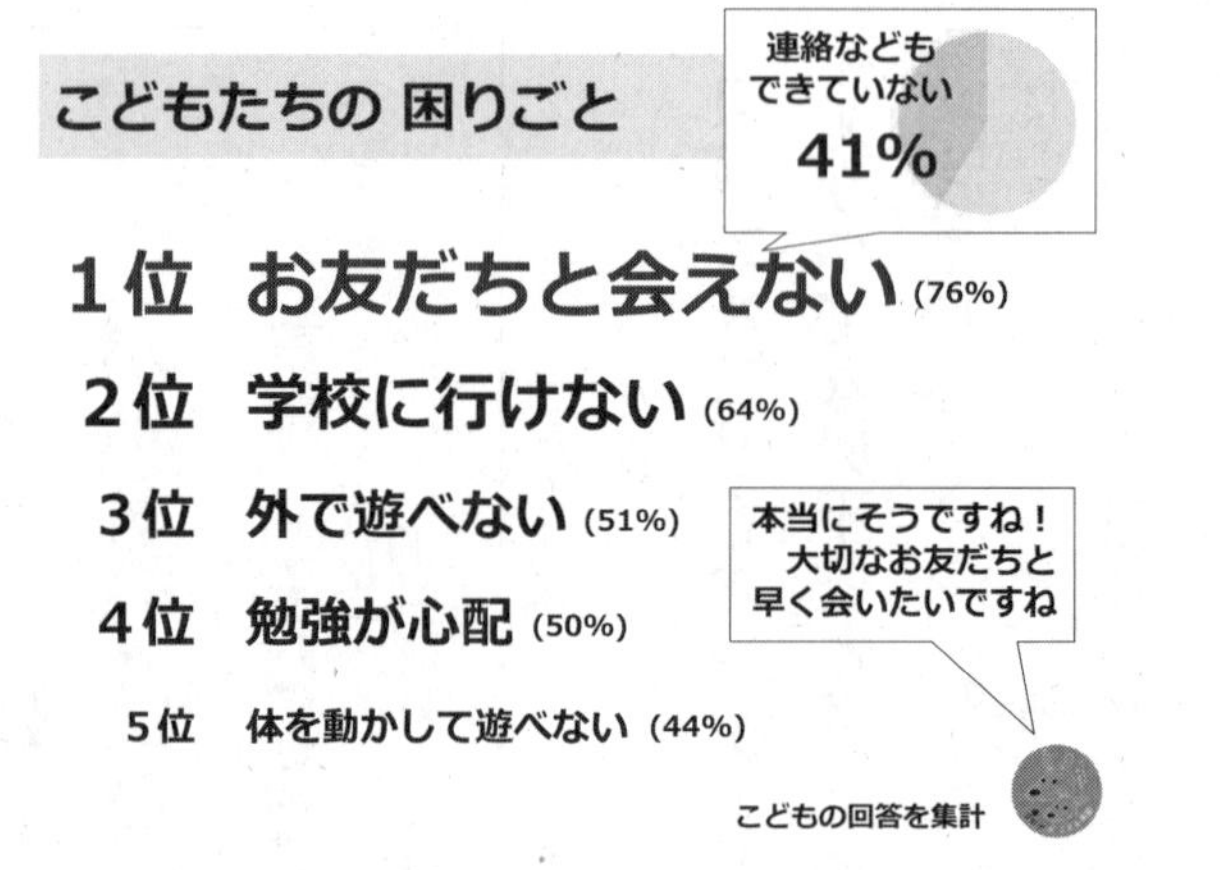

「こどもたちの困りごと」という設問に対しては――1位が「お友だちと会えない」、2位が「学校に行けない」、3位が「外で遊べない」、4位は「勉強が心配」、5位は「体を動かして遊べない」。こういう回答です。

もう1枚、パネル（6）をご覧ください。

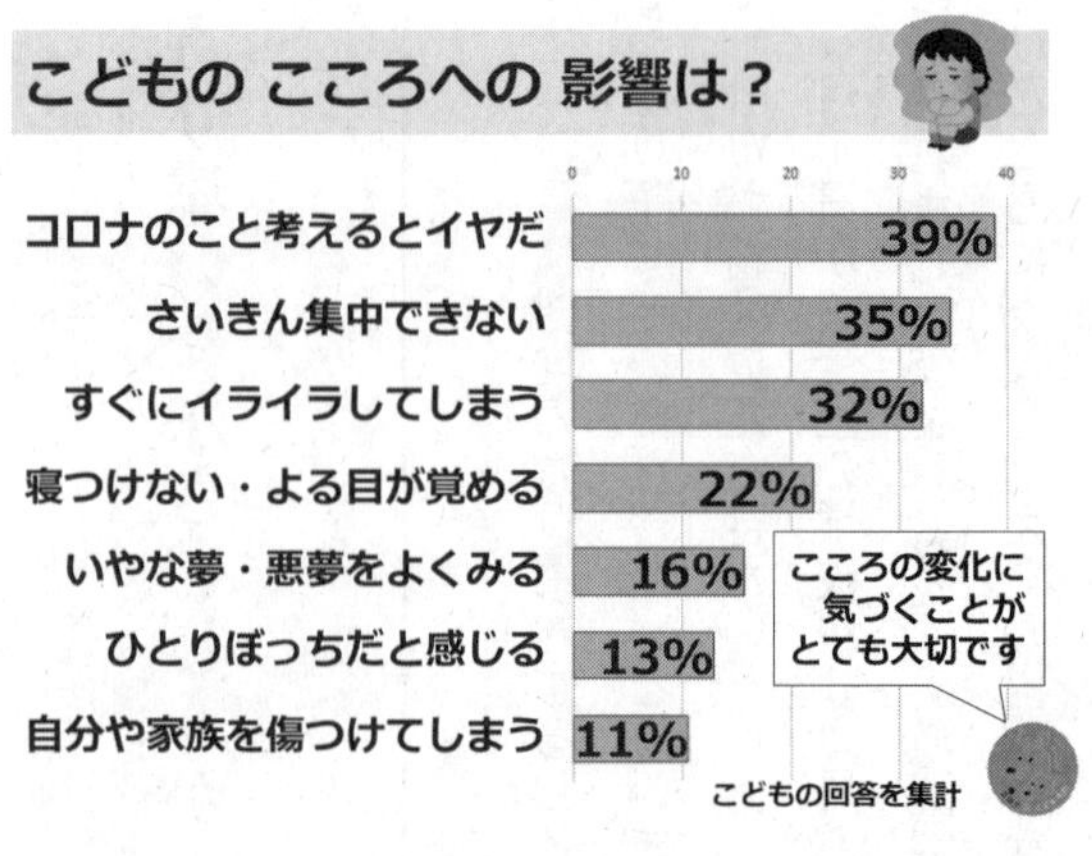

「こどものこころへの影響は」という設問でありますが、これにはたいへん子どもさんの気持ちが表れております。「コロナのこと考えるとイヤだ」、「さいきん集中できない」、「すぐにイライラしてしまう」、「寝つけない・よる目が覚める」、「いやな夢・悪夢をよくみる」、「ひとりぼっちだと感じる」、「自分や家族を傷つけてしまう」。こういう回答です。

私は、いま、こうした子どもを受け止める手厚い教育が必要だと思います。かつてない学習の遅れと格差の拡大に対しては、子ども一人ひとりに丁寧に教えることが欠かせません。子どもたちが抱えた不安やストレスに寄り添い、心のケアを進めるためには、手間と時間が必要です。

パネル5

出典：国立成育医療研究センター「コロナ×こどもアンケート」中間報告（2020年5月12日）より志位和夫事務所が作成

パネル6

出典：国立成育医療研究センター「コロナ×こどもアンケート」中間報告（2020年5月12日）より志位和夫事務所が作成

子どもたちの心のケアをしっかり行うことが、学びを進めるうえでの前提になる

志位　とくに私がここで強調したいのは、教育現場で働く教職員の方々に話をうかがいますと、異口同音に語られるのは、子どもたちの心のケアをしっかり行うことが、学びを進めるうえでの前提になるということです。

質問する志位和夫委員長＝2020年6月10日、衆議院予算委員会

　心のケアなしにはなかなか学びに進めない。東日本大震災で大被害を受けた地域の学校では、子どもたちと教職員がつらい体験と思いを語り合うことで、学校生活がスタートできたといいます。今回も、新型コロナ危機のもとでの体験や思いを語り合うことは、新しい出発にとって大切になるのではないでしょうか。

　総理の基本認識をうかがいたい。いま、一人ひとりの子どもに丁寧に寄り添い、心のケアにしっかり取り組む手厚い教育が必要だと考えますが、いかがですか。

首相　学校が再開しつつあるこの現状でまず取り組むべきは、感染症対策と、子どもたちの健やかな学びを両立させていく、そしてあらゆる手段を尽くして、子どもたちを誰一人取り残すことなく、その学びをしっかりと保障していくことであろうと思います。

　政府としては、学校における感染症対策を徹底したうえで、学習活動の重点化を含む教育課程編成の考え方を示すとともに、オンライン学習を確立するため、4年間で実施予定であった1人1台のＩＴ端末整備をこの1年間に前倒しするなど、学びの保障に向けた総合的な対策を講じています。また第2次補正予算では、速やかに子どもたちの状況に応じたきめ細かな指導ができるよう、教員や学習指導員など追加配置するなど学校による人的支援も行うこととしております。

　こうした取り組みを通じてまずは、臨時休業の長期化によりさまざまな影響を受けた子どもたちに対する学びの保障を第一に考え取り組んでいくこととしておりますが、同時にですね、いま委員がご指摘になった心の影響をですね、たいへん子どもたちにとってはつらい期間を過ごしたんだろうと、友だちとも会えない、一緒に遊んだりする大切な時間が失われてしまったということだろうと思います。

　そこで、第2次補正予算においては、教員に加えて、学習指導員やスクールサポー

トスタッフを計8万5000人、追加で配置するとともに、さらにそうした子どもたちの心のケアのためにスクールカウンセラーやスクールソーシャルワーカーを必要において増員することとしております。そうした、いままでにない経験を積んだ子どもたちの気持ち、心に寄り添いながら、しっかりとサポートしていくことが求められているんだ、それに対応していきたいと思っております。

志位　**「子どもの実態から出発し、詰め込みではない柔軟な教育が大切ではないか」**

首相　**「学習内容を重点化し、2～3年間を見通して、無理なく学習を取り戻せるようにする」**

志位　心のケアに取り組むことの重要性についてはお認めになったと思います。個々の内容についてはさらにあとで聞きます。

もう一つ、大切なことは、子どもの実態から出発する柔軟な教育だと思います。教育現場で働く教職員の方々、保護者の方々から寄せられているもう一つの心配は、例年通りの授業をしようと、土曜授業、夏休みや学校行事の大幅削減、7時間授業などで過剰な詰め込みをやりますと、子どもたちに新たなストレスを与えてしまうのではないかということです。

「子どもは健気（けなげ）なので、学校が始まり友だちと会えば少し元気になり、詰め込み授業ものみ込むが、自分でも気づかない本当の気持ちやストレスは後になって出てきて、成長をゆがめてしまうことにもなりかねない」。こういう心配の声が、共通して私どものところに届いております。

総理の基本認識をうかがいたいと思います。先ほど学習の重点化ということも言われましたけれども、子どもたちをゆったりと受け止めながら、学びとともに、遊びや休息、学校行事などをバランスよく保障する。そのために、学習内容も本当に必要なものを精選して、一定の内容を、次の学年、あるいは次の次の学年に移す。そうした詰め込みではない柔軟な教育が大切じゃないでしょうか。そうやってこそ本当の学力も身につくんじゃないでしょうか。総理いかがですか。

首相　この4月以降、学校に通えない日々を送った全国の子どもたちは、感染症の先行きが見通せない不安、ストレスにさらされています。これまでに経験したことのない苦労をしており、学校再開後はこうした子どもたちに寄り添い、きめ細かに対応していくことが重要と認識しております。政府としては学習活動の重点化などを内容とする教育課程編成の考え方を示すとともに、最終学年以外の子どもたちは、2～3年間を見通して、無理なく学習を取り戻せるよう特例を設けます。また子どもたちに、新たなストレスを与えることなく、その学びの保障に向けて取り組むこととしています。さらに先ほど申し上げましたように、臨床心理士等の専門家をスクールカウンセラーやスクールソーシャルワーカーとして必要に応じて増員するなど、臨時休業の影響を受けた子どもたちの心のケアの充実を図ることとしています。全国の子どもたちが再び笑顔で学校に通える日常を取り戻すことができるように、あらゆる手をつくして支援していく考えでございます。

志位　いま、学習内容を重点化する、あるいは学習内容を、必要なものは次の年度に移すという特例も設けているということでありました。そういう柔軟な教育、これは否定されないと思うんですが、それを行うためには、子どもを直接知っている学校現場の創意工夫を保障し、尊重することが大切だということも申し述べておきたいと思います。

志位「子どもたちの学び、心のケア、未来のために10万人の教員増を」
首相「2次補正予算では、教員や学習指導員増を行う」
志位「教員加配は10校に1校、全く足らない」

教員10万人、スタッフ13万人増の日本教育学会の「提言」――政治が決断を

志位　さて、ここまでは、総理とだいたい意見が一致すると思うのですが、この一人ひとりの子どもに丁寧に寄り添う手厚い教育、詰め込みではない柔軟な教育は、どうすれば可能になるか。

私が、総理に緊急に検討、対応を求めたいのは、日本教育学会が5月22日に「提言」を発表しまして、子どもたちに学びを保障し、ストレスや悩みにこたえる学校づくりを進めるために、緊急に学校を支えるスタッフの大幅増員を提唱していることです。パネル（7）をご覧ください。

具体的には、①小学校3人、中学校3人、高校2人、合計約10万人の教員増を行

パネル7

日本教育学会の「提言」

- 小学校3人、中学校3人、高校2人の教員増（合計約10万人）
- ＩＣＴ支援員、学習指導員を小中学校に4人、高校に2人配置（合計約13万人）

必要な予算　約1兆円

出典：「提言　9月入学よりも、いま本当に必要な取り組みを――より質の高い教育を目指す改革へ」日本教育学会（2020年5月22日）より志位和夫事務所が作成

う、②それに加えて、ＩＣＴ支援員、学習指導員など学びを支えるスタッフを小中学校に４人、高校に２人、合計約13万人配置するという提案です。これにかかる経費は約１兆円ということであります。

10万人の教員増、これは大きいようですけれど、小中高の教員は全国で90万人であり、約１割を増やそうという目標です。

日本教育学会（の「提言」）は、10万人確保の潜在的な人材のプールはあることを具体的に示しています。

一つは、定年退職された教員です。過去10年に定年退職された教員は全国で約20万人、そのうち半分ぐらいが教育現場で活躍されていると想定すると、60歳代で約10万人の新たな人材のプールがあるとしています。

もう一つは、若い世代で教員免許状をもちながら教職についていない方々です。30代までの世代で数十万人の新たな人材のプールがあるとしています。

ですから、政府が「セーブ・ザ・チルドレン」――「子どもたちを救え」と呼びかけてですね、きちんとした待遇、将来の展望を示せば、この機会に教職に就こうという人たちを確保することは十分にできると思います。

総理にうかがいます。私たちは、この日本教育学会の「提言」に全面的に賛成です。私は、要は、政治の決断だと思います。総理、子どもたちの学び、心のケア、未来のために、10万人の教員を増やす。政治がその決断すべきじゃないですか。いかがですか。

首相　確かにこういう状況でありますから、しっかりと学校、学びの場を支えていかなければならない。そのためには人員を大幅に増強していかなければならないと思っております。政府としては第２次補正予算において、速やかに子どもたちの状況に応じてきめ細かな指導ができるように、教員やまた学習指導員、スクールサポートスタッフを計８万５０００人追加で配置するなど学校への人的支援を充実することとしています。これによって、学びの保障に向けて、子どもたちのきめ細かな支援を行えるよう、しっかりと体制整備に取り組んでいきたい。

教員増を中心にすえてこそ学びが保障できる

志位　いまいろいろやっているとおっしゃったけれども、第２次補正予算案による教員の加配は小中学校で３１００人です。全国に小中学校は３万校あるんです。ということは、加配されるのは10校に１校じゃないですか。10校に９校は加配ゼロです。高校は全くゼロです。全く足らないといわなきゃならない。

それから、学習指導員等を増やすとおっしゃいました。ただ、正規の授業を行う資格があるのは教員だけです。学習指導員は、学習の補助の仕事を行うもので、その増員は必要ですし、私たちも求めます。しかし教員増を中心にすえてこそ学びが保障できる。

教員の大幅増は、学校における感染拡大防止のうえでも必要不可欠

志位　もう一つ、違う角度から聞きたい

と思います。教員の大幅増は、学校における感染拡大を防止するうえでも必要不可欠だと思います。

　政府の専門家会議は、「新しい生活様式」として、「身体的距離の確保」を呼びかけ、「人との間隔はできるだけ2メートル（最低1メートル）空けること」を基本としております。

　パネル（8）をご覧ください。

パネル8

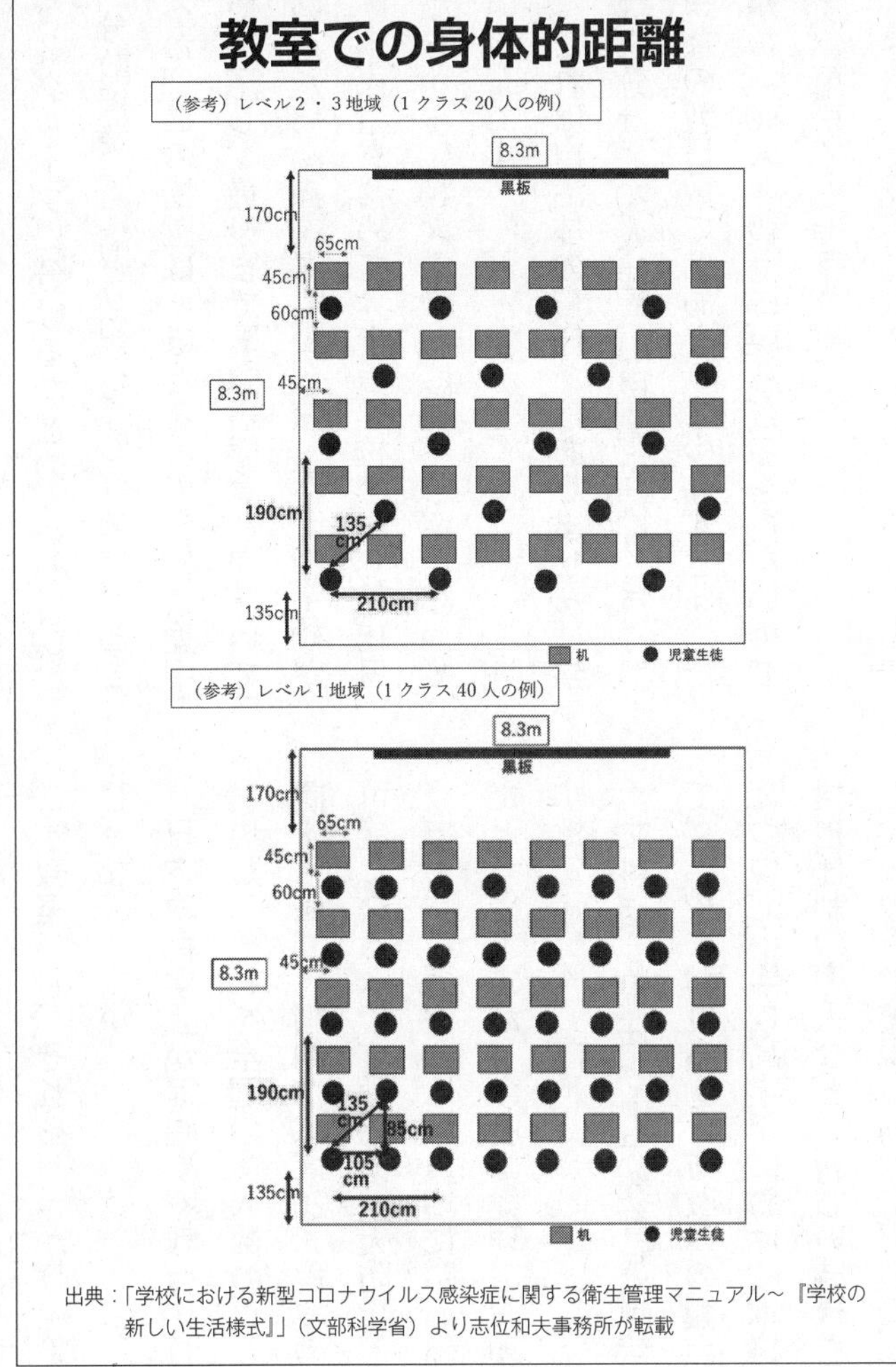

出典：「学校における新型コロナウイルス感染症に関する衛生管理マニュアル～『学校の新しい生活様式』」（文部科学省）より志位和夫事務所が転載

　これは文部科学省が5月22日に発表した衛生管理マニュアル「学校の新しい生活様式」に記載された図であります。教室の広さは8・3メートル四方となっております。

　この広さで「2メートル」の間隔をとるためには、上の図にあるように20人程度の人数に抑えることが必要になります。下の図――「40人学級」では、「2メートル」はおろか、「1メートル」空けることも難しい。この事実、お認めになりますか。文科大臣。

萩生田光一文科相　いま示していただいた図は、文科省から各自治体に発出をさせていただいたものです。一点条件がございまして、感染レベルに合わせて学校運営をしていただきたい、柔軟な対応をしていただきたいということでありまして、レベルが高い自治体においては、いまお示しになったように、1人ずつ空けるような使い方、そして感染が低いんだけれども、今後気をつけていく場合にはいまの40人学級をできるだけ離して運営するということで、お示しさせていただいているところです。

「身体的距離の確保」を、教室でもしっかり保障すべきではないか

志位　この図そのものは文科省がつくったものですから、否定されませんでした。感染レベルに合わせてということもおっしゃいました。
　しかし、教育現場はどうなっているか。調べてみますと、再開後の学校の多くは、

まずは20人程度の授業とするため、学級を2グループに分けるなどの「分散登校」「分散授業」に取り組んでおります。ところが、この措置は、ほとんどの学校で途中で終了し、最後まで緊急事態宣言が続いていた八つの都道府県でも、大半の学校が——東京も含めて大半の学校が、6月15日ごろから「40人学級」に戻る予定となっているんです。

これは自治体の責任ではありません。学級を分けて20人程度の授業を続けるには、現在の教員数ではあまりに少なすぎる。だから「40人学級」に戻らざるを得ないのです。東京でもそうです。

さきほど紹介した「コロナ×こどもアンケート」の「こどもたちが相談したいこと」の1位は、「コロナにかからない方法」ですよ。子どもたちも心を痛めている。「40人学級」に戻ることに対して、子どもからも、教職員や保護者からも、これは心配だという声があがっております。

総理にうかがいます。「身体的距離の確保」を「新しい生活様式」の重要な一つとして社会全体で取り組もうというのであれば、子どもたちが学校で最も長い時間をすごす教室でも、それをしっかり保障すべきじゃないですか。

日本教育学会が提唱する教員10万人増を実現し、それを全国の多人数のクラスに配置すれば、全国的にほぼ20人程度の授業が可能になるんです。感染拡大防止との関わりでも、この機会に教員増に踏み出すべきだと考えますが、今度は総理、お願いします。

文科相　現在、中央教育審議会において、学校における働き方改革の観点も踏まえつつ、小学校高学年における本格的な教科担任制の導入など、新しい時代を見据えた学校教育の実現に向けて、教育課程、教員免許、教職員配置の一体的検討が行われており、これらの検討については今年度中には答申をいただく予定です。

加えて、今回のコロナのことがありましたので、コロナ後の学校のあり方もしっかり検討してまいりたいと思います。新しい時代を見据えた学校教育の実現に向けて、持続可能な学校の指導、事務体制の効率的な強化、充実に取り組んでまいりたいと思います。

志位　はっきり増やすと言わない。文部科学大臣の仕事は教育現場をいかによくしていくか、これが仕事じゃないですか。政府に対してもっと（教職員を）増やせというのが文科大臣の役割じゃないか。

志位「少人数学級の取り組みを加速させると約束を」
首相「コロナ後を見据えて、検討していきたい」

志位　総理に聞きます。総理は、２０１５年2月23日、この予算委員会の答弁で、国会での全会一致の決議を踏まえて、小学校1年生、2年生で実現している少人数学級をさらに広げるために「鋭意努力していきたい」と答弁されているんです。5年前の答弁です。今回の事態を踏まえ、少人数学級の取り組みを加速させると約束してください。5年前のあなたの答弁を踏まえて。

首相　すでにいまご紹介いただいたように、政府としては、少人数学級に向けて、われわれ努力を重ねてきたわけでございます。前進している、こう考えておりますが、このコロナという状況を受けてどのように考えていくか、コロナを経験したうえにおいて、コロナ後を見据えてどう対応していくかということについては、先ほど萩生田大臣から答弁をさせていただきました。まさに、われわれ、そうしたことを踏まえて検討していきたい、こう思っております。

志位　「子どもたちに少人数学級をプレゼントしよう」

志位　はっきりした答弁が得られないんですが、時間がまいりました。

いま教職員を大幅に増やすことは、直面するコロナ危機に対応するために緊急に求められているとともに、現在の困難を乗り越えたあとに、子どもたちに少人数学級をプレゼントすることになります。希望ある政策になります。

この機会に、「ポストコロナ」ということがいろいろと言われる。今日もいろいろな議論をやりました。保健所が足らない。削ってきたことの反省が必要です。医療を削ってきたことの反省が必要です。教育のゆとりをなくしてきたことも反省が必要なんですよ。

それの転換を、私は、強く求め、そして、子どもたちに少人数学級をプレゼントしようじゃないかということを訴えて、質問を終わります。**（拍手）**

（「しんぶん赤旗」２０２０年6月12日付）

新型コロナ問題

医療・暮らし・営業
現場の声をつけ解決策を提案する

衆議院予算委員会　志位和夫委員長の質問

日本共産党の志位和夫委員長が２０２０年４月29日、衆議院予算委員会で行った補正予算案についての質疑は次の通りです。

質問する志位和夫委員長＝2020年4月29日、衆議院予算委員会

志位和夫委員長　日本共産党を代表して、安倍総理に質問します。

冒頭、新型コロナウイルス感染症でお亡くなりになった方々への心からの哀悼とともに、闘病中の方々にお見舞いを申しあげます。

医療従事者をはじめ、社会インフラを支えて頑張っておられる方々に感謝を申し上げます。

新型コロナ危機に対して、いま政治は何をなすべきか。わが党の提案を示しつつ、総理の見解をただしたいと思います。

志位「PCR検査センターの整備推進のため、新たな予算措置をとれ」
首相「緊急包括支援交付金を創設」「運営に要する費用は補正予算に計上」
志位「補正予算案には『検査センター』の整備予算は1円も入っていない」

PCR検査センターの設置推進のため、新たな予算措置をとったのか

志位　まず、医療崩壊をいかにして止めるかについてであります。

私は、そのための一つの大きなカギは、PCR検査の体制を抜本的に改善・強化し、必要な人が速やかに検査を受けられる体制に転換することにあると考えます。

現状は、PCR検査数があまりにも少ない。総理は、検査数を1日2万件まで増やすと言われますが、実施数は1日8000件程度にとどまっております。「発熱やせきなどコロナを疑わせる症状が続いているが検査が受けられない」などという悲鳴がうずまいております。

なぜそうなっているのか。パネル（1）をご覧ください。

このパネルの左側の流れ――これまでの検査方式では、感染が疑われる人は、まず「帰国者・接触者相談センター」に相談しなければなりません。しかし、それを担っている保健所が、能力の限界を超え、疲弊しています。そして、検査を実施するのは

パネル1

PCR検査の流れ

（これまで）	（新たに）
感染が疑われる人	感染が疑われる人
↓ 電話	↓ 電話
疲弊 帰国者・接触者相談センター（保健所）	かかりつけ医
↓	↓
限界 帰国者・接触者外来で検査	PCR検査センターで検査

「帰国者・接触者外来」ですが、ここも能力の限界が来ています。

全国どこでも「保健所の電話がつながらない」「保健所が検査が必要と判断しても、実施まで5日かかる」という事態が続いています。多くの国民が、検査が受けられない状況が続くもとで、市中感染が広が

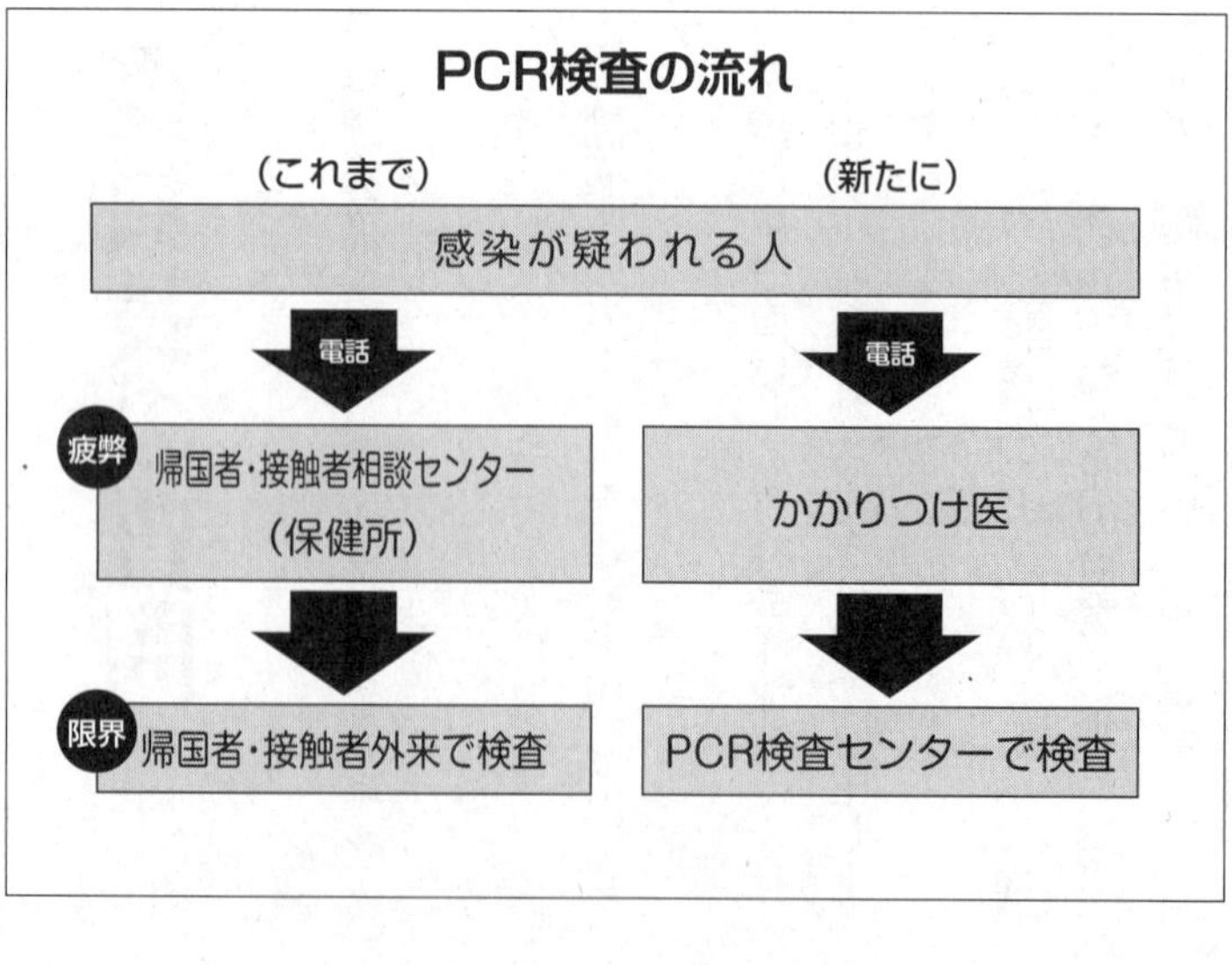

り、各地の病院で院内感染がおこり、医療崩壊が始まりつつあります。検査が遅れた結果、重症化が進み、命を落とす方があいついでいます。

そうしたもとで、わが党は、パネルの右側の流れを新たにつくる――感染が疑われる人は、保健所を通さずに、かかりつけ医に電話で相談し、ＰＣＲ検査センターで検査する仕組みをつくることを提案してまいりました。

総理も、17日の記者会見で、「各地の医師会の協力も得て検査センターを設置します。かかりつけ医のみなさんが必要と判断した場合には、直接このセンターで検体を採取し、民間検査機関に送ることで、保健所などの負担を軽減します」と表明されました。遅きに失したとはいえ、これまでの検査方式の転換を表明したことは前進だと思います。

そこで総理にうかがいますが、政府として検査センターの設置を推進するために新たな予算措置をとったのでしょうか。端的にお答えください。

加藤勝信厚生労働相　新たな検査センターは、これはいわゆる「帰国者・接触者外来」の一形態です。したがって、それが基本的に検査センター、検査機能をもつ。検査と言っても、（検体を）ぬぐうという意味であって、実際の検査は、例えば民間の検査会社にお願いするということです。今回の補正予算の中にも、設置についての費用、運営に関する費用は計上されています。

志位　いま言われた、補正予算のなかの「運営に関する費用」というのは、これはＰＣＲ検査の本人負担の減免のための措置です。補正予算案は、総理がＰＣＲ検査センターをつくると表明した前につくられたものです。ですから補正予算案のなかには、ＰＣＲ検査センターの費用は1円も入っていない。（検査センターの設置は）後から表明したものですから。

全国の自治体ではＰＣＲ検査センターをつくる動き――国の本気度が問われる

志位　政府の方針転換を受けて、全国の自治体では、ＰＣＲ検査センターをつくる動きが始まっています。長野県では、24日に発表した県の補正予算案で、ＰＣＲ検査センターを県内20カ所に設置する予算を10億３０００万円計上しました。1カ所平均５０００万円。札幌市も、24日に発表した市の補正予算案で、ＰＣＲ検査センター設置予算を８６００万円計上しています。東京都では医師会が主導して、最大47カ所でＰＣＲ（検査）センターをつくる動きが始まっております。

1カ所平均５０００万円として、全国で数百カ所つくるとなれば、２００億円程度が新たに必要になってきます。

ところが、総理が「ＰＣＲ検査センターをつくる」と方針転換を表明したにもかかわらず、補正予算案にはＰＣＲ検査センターの体制整備のための予算はまったく含まれていない。方針転換前に閣議決定した予算案のままです。

先ほど（加藤厚労相は）「（帰国者・）接触者外来の一形態だ」と言われましたが、（ＰＣＲ検査センターという）検体を採取することに特化した機関をつくるというのは新しい方針じゃないですか。前のままの予算案では国の本気度が問われるのではないですか。

総理、「ＰＣＲ検査センターをつくる」と表明した以上、その体制整備のために新たな予算措置をとるべきじゃありませんか。今度は総理がお答えください。

厚労相　ＰＣＲセンターは特別なものとおっしゃっていますが、そうではないのです。これは診療所です。そこで診療をし、そしてぬぐうのも診療行為です。これまで「帰国者・接触者外来」でやってきた事業を、特に別建てにつくってやる、プレハブをつくってやる、これまでもそれはできたわけです。さらに、それを積極的に支援するために今回は補正予算にものせているということで、今、お話があったそれぞれの地域でそういう取り組みがあれば、それの設置にかかる費用、また運用費については国の負担する分についてはこの補正予算で見させていただきます。

志位　これまでも（予算は）ついているというけれど、検査センターという検体をぬぐうのに特化した機関をつくるというわけです。そして各県では、そのための予算を補正予算案で計上しているわけです。

検査を絞ってきた結果、医療崩壊が始まる——既存の予算の枠内でなく、新たな予算措置を

志位　全国の医療関係者にお話をうかがいますと、ＰＣＲ検査センターをつくる努力が各地で開始されておりますが、困難も多いと聞いております。たとえば地域の医師会の協力を得ようとすれば、輪番で検査に当たる医師に対する手当てが必要になります。診療所を休診にするための補償も必要になります。多くの医療関係者は、強い使命感を持ってコロナに立ち向かっておりますが、使命感だけでは進みません。先立つものがなければ進まない。政府の強い財政的な後押しが必要です。先ほど49億円の話（「運営に関する費用」）をされましたが、ちょっと計算しても２００億円くらいかかるじゃないですか。

政府はこれまで検査を絞ってきた。しかし絞ってきた結果、市中感染がまん延し、院内感染が多発し、医療崩壊が始まっています。この事実に直面して、総理自身がＰＣＲ検査センターをつくって大量検査を行うと方針転換を表明されたわけです。新しい方針をあなた自身が表明した以上、既存の予算の枠内で対応するのではなくて、それを実行するための新たな予算措置をとるのはあたりまえじゃないですか。それをやってこそ国の本気度が自治体に伝わって、ＰＣＲ検査センターの設置が前に進むのではありませんか。総理いかがでしょうか。

安倍晋三首相　すでに加藤厚労大臣から答弁させていただきましたが、ＰＣＲ検査センターを設置して、地域の医師会等へ委託する形で運営することや、あるいは歯科医師のみなさんにも検体採取にご協力いただくことなどの取り組みを推進することによって、これまで検査に従事されてきた方々の負担軽減をはかるとともに、検査拠点の確保をはかっていくこととしています。

このほか、感染管理の専門家による実地研修や感染管理の体制整備等を行うこと

で、「帰国者・接触者外来」を設置する医療機関を増設することも都道府県に対し依頼しております。

そうしたものに対しまして、政府としては補正予算において１４９０億円を計上し、緊急包括支援交付金を新たに創設しました。

そして、こうした取り組みを都道府県が推進することを強力に支援するとともに、また地方創生臨時交付金の活用によって、実質全額国費で支援をしていく、対応することも可能になっております。

そしてまた、これらの交付金とは別に、地域のＰＣＲセンターの運営等に要する費用についても補正予算にも計上しております。ですからそこのところはしっかりと見ていただきたい。われわれはその費用は補正予算に計上しているということです。

自治体まかせでは進まない——政府として新たな予算をつけ、「プッシュ型」でやってこそ

志位　まず運営等の予算はつけているんだとおっしゃったけど、これは患者さん本人の負担の減免のための49億円です。（検査センターの設置とは）別の予算です。それから「（緊急）包括支援交付金」を１４９０億円とおっしゃったけど、これはＰＣＲ検査センターをつくる前に決めたメニューです。その後に決めたのだから新しい予算措置をとれといっております。

これは総理、自治体まかせ、医師会まかせでは進まない。政府として新たな予算をつけて、「これだけの予算を積んだから、安心して進めてほしい」と言ってこそ、「プッシュ型」でやってこそ、前に進むということを強く述べておきたいと思います。

志位「コロナ患者受け入れ病院は大きな財政的負担がかかる。国が全額補償を」

首相「医療提供体制の機能は、国として責任をもってしっかりと守っていく」

志位「医療崩壊阻止のためには緊急に数兆円規模の予算が必要だ」

1病院あたり平均月2億円の減収（東京都杉並区の試算）

志位　検査と一体に進めなければならないのが、感染者の治療、隔離と保護です。

重症や中等症の患者さんに対しては、コロナ患者受け入れ病院を確保しなければなりません。全国の医療関係者の方々にうかがいますと、患者さんの治療のために献身

的な奮闘をされておられますが、病院がコロナ患者を受け入れるには、大きな財政的負担がかかるという切実な訴えが寄せられております。

パネル（2）をご覧ください。これは新型コロナ患者受け入れによる病院の減収要因がどのようなものになるかについての概略です。全国の医療機関から聞き取り調査を行いました。

まずコロナ患者の受け入れベッドを空けておかなければなりません。

医師・看護師の特別の体制をとらなければなりません。

特別の病棟や病室を整備しなければなりません。

一般の診療や入院患者数を縮小しなければなりません。

手術や健康診断を先延ばしすることも必要になってまいります。

これらによる減収に対する財政的補償がないままでは、対策を行うことはできません。

先日、私は、医療現場のみなさんに状況をお聞きする機会がありましたが、首都圏のある民間病院では、コロナ患者さん15人を受け入れるために、病床を41減らしています。別の民間病院では、コロナ患者さん20人を受け入れるために、病床を47減らしています。すべて病院の減収になっております。「このままでは夏までに資金がショート（不足）する」という切実な訴えも寄せられました。

パネル2

新型コロナ患者受け入れによる病院の減収要因

- ● コロナ患者の受け入れベッドを空けておく
- ● 医師・看護師の特別の体制
- ● 特別の病棟・病室の整備
- ● 一般の診療や入院患者数の縮小
- ● 手術や健康診断の先延ばし

そういうなかで東京都杉並区は、区内の四つの基幹病院について、新型コロナ患者の受け入れによる減収額を試算しています。「1病院あたり月1億２８００万円から2億８０００万円」――平均月2億円という数字が出てきています。

区長さんは、「コロナウイルスとのたたかいに献身的に挑めば挑むほど、病院が経営難になり、最悪の場合、病院の崩壊を招きかねない」と述べ、減収分の全額を助成する方針を打ち出しています。

総理、本来これは国がやるべきことではないでしょうか。新型コロナ対策にあたる病院に対して、「コロナ対策にかかる費用は、国が全額補償する」と明言すべきではありませんか。

全国のコロナ対応病院の減収補塡には半年で１・４兆円――「包括交付金」（１４９０億円）では桁違いに足らない

厚労相　パネルについてですが、まず空きベッドについては確保するための費用はすでに措置をさせていただいております。それから医師・看護師の特別体制をする、例えば病床を集めて、そうするとそこに手厚い看護が必要になってくる。当然そこには医師や看護師の配置も増えてくるわけであります。そうした場合には、特定集中治療室管理料が算定できるように特例の扱いをし、かつその基準も、先般2倍以上の水準にあげる診療報酬の改定もさせていただきました。また特別の病棟・病室の整備については、今回の（緊急包括支援）交付金を使って、たとえばですね、別途整備をする場合には、それを支援するこういう費用ものせています。加えて診療報酬の全体としての減収を抱えておられるところには、よく事情を聴きながら、その状況状況を踏まえながら必要な対応をしていかなければならないと思っております。

志位　診療報酬を2倍にしたといわれました。これ自体良いことだと思うのですが、重症患者の治療だけです。それ以外の中等症患者の治療にはわずかな加算だけです。そして、診療報酬というのは、治療行為が行われた後に支払われるものであって、病院がコロナ患者を受け入れる場合のさまざまな減収――たとえば一般の診療や入院患者数の縮小――こういう減収を補塡（ほてん）するものではありません。

それから「緊急包括支援交付金」のことをまた言われました。しかし現在、「帰国者・接触者外来」等として、コロナ患者受け入れ先となっている医療機関は、全国で約1200病院あります。コロナ対応病院がこうむる減収額が、先ほどの杉並区の例で月2億円としますと、全国のコロナ対応病院の減収分を補塡するには月2400億円かかります。半年で1・4兆円です。「緊急包括支援交付金」1490億円では、桁違いに足らない。ここでも抜本的財政措置をとることを強く求めたいと思います。

「政府が『お金のことは心配するな』という強いメッセージを」（民間病院の院長）

志位　もともと、政府の医療費削減政策によって、多くの病院は日常からギリギリの経営を余儀なくされています。さらにコロナ禍によって、深刻な受診抑制が起こり、経営を圧迫しています。そこにコロナ患者への対応を行えば、倒産は必至だという悲鳴が全国から寄せられております。

コロナ患者の検査と治療のために懸命の取り組みを行っている、ある首都圏の民間病院の院長からは次のような訴えが寄せられました。総理、お聞きください。

「日本という国は、高度な医療と素晴らしい健康水準を達成していると言われてきましたが、こういった問題が起こると、ほとんどの病院が経営的にも人材的にもギリギリのところでやっていて、たちまちに崩壊モードになってしまうことがよく分かりました。それでも医療従事者は、強い使命感をもって、命がけで頑張っています。そのときに、政府が『お金のことは心配するな。国が責任をもつ。だから医療従事者は結束して頑張ってください』という強いメッセージを出してほしい。それがないと乗り切れない」

「お金のことは心配しないでやってほしい」。このメッセージを総理の口から言っていただきたい。いかがでしょうか。

首相　先ほど厚労大臣から答弁をさせていただきましたが、まさに最前線で感染と背中あわせの大変な努力をしていただいていることに改めて感謝申し上げたい、敬意を表したいと思います。

そのなかで、各病院の経営を圧迫している、われわれも十分承知をしています。そこで先ほど厚労大臣から答弁させていただいたように、緊急包括支援交付金として１４９０億円を計上しておりまして、また地方創生臨時交付金の活用によって全額国費による対応も可能としているところでありますし、あわせてある程度の評価をいただきましたが、向き合う医療従事者の処遇改善に資するため重症者治療への診療報酬を倍増しているところでございます。また新型コロナウイルス感染症によって、経営に影響が出ている医療機関への支援も重要でございまして、今般の緊急経済対策において無利子無担保を内容とする経営資金融資による支援を行っていきます。

また、経営が厳しい医療法人や個人診療所に対しては今般の持続化給付金の対象とした上で、医療法人は２００万円、個人診療所は１００万円を上限に現金給付を行うこととしています。もちろんこれではまだ十分ではないかもしれませんが、その給付をさせていただきたいと思います。さらに空きベッドの確保の支援については病床を空けておくための経費として1床あたり定額の補助を実施しているところでございます。引き続き医療の現場を守りつつ、感染拡大防止にむけて、われわれも全力で取り組んでいきたいと思っております。

志位　いろんなこと言われました。「緊急包括支援交付金」とおっしゃいましたけれど、１４９０億です。（コロナ対応病院の損失補償には）1・4兆円かかるのです。「持続化給付金」と言われた。１００万、２００万です。いま1億、2億という単位の赤字が問題になっているのです。

「頑張っている医療機関ほど赤字になってしまう。財政支援が必要」（全国公私病院連盟会長）

志位　全国１６００の病院が加入する全国公私病院連盟の邉見（へんみ）公雄会長は、政府あての緊急要望で、次のように訴えております。

「病院が新型コロナウイルス感染症患者を受け入れるためには、外来・入院・救急等での当該患者に特化した人的・物的、受入・療養の準備が必要であり、それに係る財政的負担は膨大である。財政的支援の裏づけがないままでは、その対策も十分にはできない」「財政上の支援を公言していただきたい」

私は、邉見会長に直接お話をうかがう機会がございました。次のような訴えが寄せられました。総理お聞きください。

「医療機関には本来、（財政的・人的）ゆとりが必要ですが、それがまったくありません。そこにコロナが襲ってきた。コロナの影響で全体の患者さんが減っていることにくわえて、コロナ患者の受け入れには甚大な財政的負担がかかります。この状況下では、頑張っている医療機関ほど赤字になってしまう。財政支援が必要です」

こういう訴えですが、総理、全国１６００

の病院が加入する病院連盟の会長さんの声にどうお応えになりますか。重ねて求めたい。「コロナ対策による病院の減収分は国がしっかり補償する」と明言していただきたい。

首相　このコロナ対策においてご協力いただいている、もちろんコロナの感染者を受け入れている病院だけではなく、多くの病院がさまざまな影響を受けていると承知しております。この状況で苦しい状況にある医療機関、医療提供体制は、国民の命と健康を守るものですから、この医療提供体制の機能は国として責任を持ってしっかりと守っていく考えでございます。

志位　しっかり補填するとは言われないんですけれども、全日本病院協会の猪口雄二会長は「6月には資金ショートの病院が相次ぐ」と言っておられます。そこまで逼迫しているのです。ですから財政支援は一刻を争う課題だと重ねて述べておきたいと思います。

安倍首相に質問する志位和夫委員長（左）＝2020年4月29日、衆議院予算委員会

軽症者・無症状の方の療養施設——当面6500億円規模での予算が必要になる

志位　もう一点、軽症者・無症状の方には、隔離・保護のための施設が必要です。自宅で療養されていた方が急に症状が悪化して亡くなられたケースが伝えられました。家族の方々への感染を避けるためにも施設確保は急務であります。

政府は、コロナ軽症者や無症状者を療養する施設として、全国で21万室をこえる宿泊施設を確保したといいますが、医療従事者を集めるのも難航していると聞いております。ここでも財政的支援がどうしても必要だと考えますが、総理、どういう規模での財政的支援を考えておられますか。端的にお答えください。

厚労相　ご指摘の保健師、看護師については日中の常駐を、医師については日中夜間ともオンコールでの対応を求めておりました。こういった医師や看護師に対しては、先ほど申し上げた宿泊療養の場合には対応できるということで、補正予算で対応させていただくことにしています。

志位　ですからどういう規模での財政的支援を考えているのですか。（政府、答えられず、審議が一時中断）

厚労相　新型コロナウイルス感染症緊急包括支援交付金の中で対応することにして

おります。

志位　また「包括交付金」ですか。なにもかも「包括交付金」、1490億円。〝打ち出の小づち〟じゃないんですよ。

東京都の場合、東京都が確保したホテル・東横インの場合、軽症者100人の受け入れで、消毒などの関係で205室を借り上げたとのことであります。6月までで食事代などを含め6・5億円の予算が必要といいます。政府が言うように21万室を借り上げて活用すれば、単純計算でも、当面6500億円が必要になるわけです。「包括交付金」では足らない。ここでも抜本的財政措置が必要です。

医療用マスク、フェースシールド、防護服をはじめ防護具を十分に提供すること、人工呼吸器やECMO（人工心肺）などの機材を急いで増産・提供することも必要です。

補正予算ではまったく足りません。

医療崩壊阻止のためには緊急に数兆円規模の予算が必要です。予算案の抜本的組み替えを強く求めます。

志位「雇用調整助成金を『コロナ特例』に――迅速に使える制度に、上限額も英国なみに抜本的に引き上げよ」
首相「『持続化給付金』もある」
志位「雇用者に対する支援も『世界で最も手厚い支援』といった。英国の半分でいいのか」

自粛要請などによって、直接・間接の損失を受けている、すべての個人と事業者に対し、生活と営業がもちこたえられる補償を

志位　つぎに進みます。

新型コロナ危機から暮らしと営業を守り抜くことは、切実な大問題です。

日本共産党は、外出自粛・休業要請などによって、直接・間接の損失を受けている、すべての個人と事業者に対し、生活と営業がもちこたえられる補償を、スピード感をもって実施することを強く求めます。安心して仕事を休める補償を行うことは、感染の爆発的拡大を止めるうえでも決定的なカギです。

政府が、当初の「一部の世帯に30万円給付」案を撤回し、「すべての日本在住者に1人10万円の支給」を決めたことは、国民の声が政治を動かした大きな成果だと思います。ただし、1回きりの10万円ではもちろん足りません。継続的な補償が必要です。

お弁当販売の業者の訴え――「3～4カ月後に雇調金が振り込まれても会社が存在しているか分からない」

志位　具体的に聞いていきます。まず「生活を支える収入の補償」です。総理は、収入の補償について「雇用調整助成金でしっかりと補償する」と繰り返しておられます。

雇用調整助成金とは、社員を一時的に休業させる企業が、従来の賃金の6割以上の休業手当を払う場合には、国がその一部を助成する制度です。しかし、私は、率直に言って、いまの制度では、コロナ禍に苦しむ多くの中小業者・小規模事業者を救えないと思います。

さまざまな問題点がありますが、その一つは、手続きが煩雑で、あまりに時間がかかるということです。直近の数字で、各地のハローワークなどで受け付けた相談件数は19万件にのぼりますが、支給決定はわずか282件にとどまっています。

私の国会の事務所に、イベント専門でお弁当を販売している業者さん――従業員は現在6名と1名のアルバイトの方から、次の訴えが寄せられました。総理、お聞きください。

「私どもはイベント専門でお弁当を販売、お届けしております業者です。新型コロナウイルスの影響で売り上げは激減し、雇用の維持もかなり苦しい状況です。少しでも注文があれば心も救われるのですが全く注文が無くなりました。毎月のリース料金も払えないぐらい逼迫（ひっぱく）しております。本当にこのままですと、倒産を余儀なくされてしまいます。

雇用調整助成金の申請もしておりますが、聞いたところ申請が通って実際に振り込まれるのが8月ぐらいだと聞いております。雇用を維持する支援金だと承知しておりますが、3～4カ月後に振り込まれても会社が存在しているか分かりません。今こそこの国で税金を納めてきた国民を救済する時だと考えます」

総理、「3～4カ月後に振り込まれても会社が存在しているか分かりません」。この訴えにどう応えられますか。

厚労相　雇用調整助成金ですけれども、今申請があるのは3459件、そのうち329件に対してお支払いをさせていただいております。この3459件のうちの4月の後半にかなりの数が申請をいただいております。そういった意味でいろいろご迷惑をおかけしておりますけれども、私どもとしては体制を強化して処理のスピードを上げていく。それから申請そのものがなかなか難しいというお話もありました。申請項目等ずいぶん検証いたしましたけれども、それでも難しい方には社労士のみなさんの協力をいただいて、そういった方との相談を無料でいただける体制を、そういうことを含めて雇用調整助成金を活用していただける環境をつくっていきたいと思います。それから8月というのは、さすがに今の段階でそういうことを言っていることはないと思いますが、もし個別にあれば言っていただければ対処させていただきます。

二つの提案――「まず給付、審査は後で」「休業手当の支払い前に給付を」

志位　これは直接、当事者の方とよく事情をお聞きしての訴えであります。

今いろんなことを言われました。人員を増やすとか、あるいは検査事項を少なくするとか。しかし率直に言って、平時の発想だと思います。いまは緊急時です。私は、平時のやり方では救えないと思います。迅速に支給するために、雇用調整助成金を「コロナ特例」として、抜本的に改めることを提案したい。

次の2点を具体的に提案したいと思います。

一つは、「審査してから給付」では間に合わない。申請を受けたら「まず給付をして、審査は後で」――これに切り替えるべきではありませんか。

もう一点は、今の制度というのは、事業主が従業員に休業手当を払った後に、その一部を補填する仕組みですが、事業主にはそれをやる当座のお金がないわけです。ここから先に進めなくなる。休業手当の支払い前に、給付が受けられるようにすべきではないでしょうか。

早くやるというのであれば、そういった制度に抜本的に改める必要がある。総理、お答えください。

厚労相　本来なら計画を事前に提出いただくことは事後でもいいとか、できる限りの努力をさせていただいている。先に支給するというのは、要するに支払ってない段階で、支払うということになれば、後のチェックが相当大変になると思います。したがって、私どもだけでなく、企業にももう一度負担をお願いすることになるわけですから、そういった意味においても、支給していただいた金額を確認して、速やかにお支払いする。ご指摘の通り、確かに1回目の休業手当の支給は、資金を確保していただかなければなりません。それに対しては、さまざまな貸付制度等ご活用いただきながら、2回目以降の支給については、雇用調整助成金がしっかり活用していただける、そうした申請から支給までの間を1カ月と申していますが、実質は2週間ぐらいでやれるように、今最大限の努力をさせていただいています。

志位　計画書の事後提出もいいとおっしゃったけど、これは休業計画の提出の問題であって、私が求めているのは、まず給付をする、その後に休業手当を出す、そういうふうに改めないと救われない（ということです）。企業の事務手続きが大変だろうというけれど、つぶれてしまっては何もならないじゃないですか。

いま私が求めた二つの改善というのは、全国知事会も緊急要請で求めていることですよ。これは与野党の違いはない。ですから、これの真剣な検討を求めたいと思います。

日本は最大月16・7万円、英国は最大月33・3万円――「世界で最も手厚い支援」というなら抜本的な引き上げを

志位　もう一つの問題点として、パネル（3）をご覧ください。雇用調整助成金で、

政府が企業に支給する額には、従業員1人あたり「1日8330円」という上限があります。これがもう一つの問題点です。助成金で支給される額は、週5日・月20日の出勤で最大で月16万7000円にすぎません。

一方、英国では、休業を余儀なくされた企業の従業員に賃金の80%、最大月2500ポンド（約33万3000円）を政府が補償しています。日本政府の補償額はイギリス政府の半分にすぎません。

パネル3

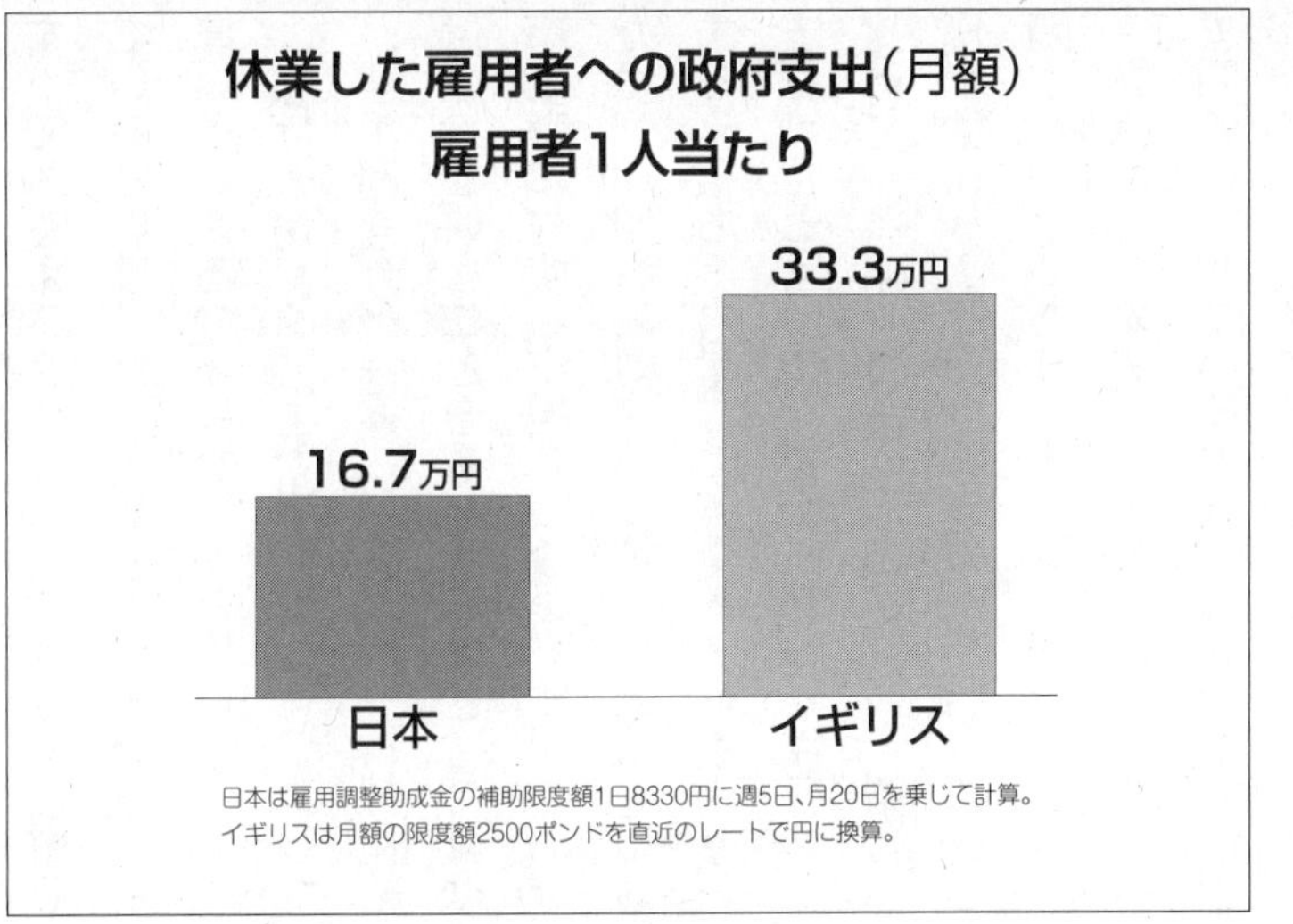

休業した雇用者への政府支出（月額）
雇用者1人当たり

	日本	イギリス
月額	16.7万円	33.3万円

日本は雇用調整助成金の補助限度額1日8330円に週5日、月20日を乗じて計算。
イギリスは月額の限度額2500ポンドを直近のレートで円に換算。

総理は、4月13日の自民党役員会でこうおっしゃっている。「今回の経済対策の内容は、事業者と雇用者に対する支援としては、国際的に全く遜色のない手厚いものとなった」「わが国の支援は、世界で最も手厚い」と。こうおっしゃった。「最も手厚い」とおっしゃるのでしたら、イギリス並みに補償を引き上げるべきではないですか。「1日8330円」の上限を見直すべきではないですか。

厚労相　それは上限額だけですが、イギリスの場合は3週間以上休まないと出ない。日本は1日でも休めば、休業手当は出ます。それから8割ですから、例えば同じ18万円を払っても、今回の中小企業の方々で、当該地域の知事等から自粛の要請がされたときは、われわれ10万円払います。しかしイギリスは、18万のうちの8割しか払われない。ですから、それぞれ違いがあることはご認識いただきたい。

その上で、今回の休業要請等がありますから、本来の中小企業でいえば、9割のものを10割まで全額払う、こういった措置も入れさせていただいた。これ以上の増加に関しては、労働保険の会計の中でやっていますから、現在の保険料の猶予等も含めて、現在われわれの中でできる最大限のことをさせていただいている。

首相　また、たとえばイギリスには、われわれが今回行う1人一律10万円の給付というのはありません。これは、日本独自のものでございます。また中小企業等への持続化給付金ですが、日本は100万円、200万円、資本金10億円未満に対して行います。

昨日もドイツの例が出ましたが、ドイツは従業員10人以下にしかわれわれが行っている100万円、200万円の給付は行われません。かつ100万、200万ではなくて、108万円と180万円ですから、われわれの方がより広くより手厚く行っているということを申し上げておきたいと思います。ちなみに、雇用維持の助成金については、ドイツは時短分の6割を政府が補償すると。われわれは時短分の100%、

休業要請しているところには補償していま
す。60%超えるところには100%補償し
ているということですから、日本の方が手
厚いといえるのではないかと思います。
志位　10万円を支給したと言いました
が、1回きりではないですか。「持続化給
付金」ということを言われるけど、これは
事業者に対する支援じゃないですか。あな
たは、雇用者に対する支援も、事業者に対
する支援も、（日本は）「世界で最も手厚い
支援」だと言った。だから私はイギリスと
比べて、イギリスは33万円出ているのに、
日本は16・7万円でいいのかということを
問うたわけであります。
失業給付との関係も言われた。しかしい
ま問題になっているのは、事業者が経営判
断を間違えて経営が苦しくなったという問
題じゃないんです。非常事態の下、政府の
要請によって雇用と営業が危機にひんして
いるわけであります。従来の延長線上では
なく、雇用調整助成金を「コロナ特例」と
して抜本的に改めるべきですよ。私たち
は、賃金の8割、上限月30万円を補償す
る。個人事業主やフリーランスに対して
も、全額国が負担し、収入の8割を補償す
る制度をつくることを強く求めます。

志位　「安心して休業できるよう、家賃など固定費の補償に踏み切れ」
首相　「持続化給付金をお届けしたい」
志位　「1回きりでなく、継続的に支給を」
首相　「（収束まで）長引けば、さらなる対応も考えていかねばならない」

自治体では「家賃の8割補償」が始まっている――国ができないわけがない

志位　もう一点聞きます。
「事業を支えるための補償」という点で
は、感染拡大防止のために、安心して休業
できるようにするためにも、家賃など固定
費を補償することが大きな焦点となってお
ります。
休業によって、収入はゼロにまで落ち込
んだ。しかし家賃など固定費は毎月払わな
ければなりません。「出血多量で、瀕死の
状態だ」という悲鳴が上がっております。
「休業と一体で補償を」という痛切な声が
全国から寄せられています。
そうしたもと、福岡市では県の要請を受
けて、休業や営業時間の短縮を行った事業
者を対象に、店舗の家賃の8割、上限月50
万円を支給する仕組みがつくられていま
す。北九州市でも、事業者に家賃の8割の
補助を決定しました。総理、自治体では
「家賃の8割補償」がすでに始まっている。

自治体ができて、国ができないわけがないじゃないですか。家賃などの固定費補償に踏み込むべきではありませんか。

首相　たしかにこういう状況でございますから、多くの中小企業・個人事業主、中小・小規模企業の皆さんが大変苦しい状況の中、家賃等の支払いに大変苦労しておられる声は、私たちにも同じように伝わっているところです。そのなかで、現在イベント等の自粛要請に基づいて休業した方のみならず、多くの事業者の皆さんが極めて厳しい状況にあると認識しておりまして、重要なことは一日でも早く、使途に制限のないお金をお届けするということでございます。先ほど志位委員もおっしゃったように、例えばイベントの中止等の要請をしておりますが、イベント会社だけでなく、そこにお弁当を仕入れている企業もそうでしょうし、その時に使われる段ボールを作る会社なども大変な損害を受けたということですから、われわれはイベントを行っている会社だけでなく、広く売り上げが減少したところに対して、持続化給付金という形で、先ほど申し上げましたように国際的にも遜色のない１００万、２００万円という持続化給付金をできるだけ早くスピーディーに幅広くお届けしたい、と考えております。

志位　「持続化給付金」とおっしゃいましたけど、これは条件がありまして、売り上げ半減以下が対象です。そうしますと少数の事業者しか対象にならない。売り上げが3、4割減っても、多くの事業者は事業存続ができない状況に追い込まれています。私は、困窮している人々の中に、線を引っ張って、分断をはかるようなやり方はよくないと思う。半減以下という線引きはやめて、対象を直接・間接に損失を受けた事業者全体に拡大すべきだと思います。

スナックや居酒屋も大事な文化——その灯を守ると約束してほしい

志位　そして何よりも問題なのは、「持続化給付金」は1回こっきりだということです。しかし家賃は毎月払わなければならない。

私は、東京でスナックや居酒屋など飲食業を営む方々に、お話をお聞きする機会がありました。「小さな飲食業者でも、家賃など固定費は毎月30万円から40万円という単位で出ていく。政府と都の給付金を合わせてもとても持たない」という訴えが次々と寄せられました。

ある事業者から、次のような訴えが寄せられました。総理、お聞きください。

「スナックや居酒屋は、人と人とのつながりを大切にしてきました。仕事に疲れた人々の憩いの場、温かい人情が愚痴も不平も包み込む、オアシスのような役割を果たしてきました。スナックや居酒屋も東京を支える大事な文化です。つぶれてしまったら、東京は砂漠のような街になってしまいます。営業を続けられる補償をお願いしたい」

これは地方でも同じであります。総理、「スナックや居酒屋の灯は守る」と、先の見えない事業者に約束していただきたい。

家賃など固定費への支援、「持続化給付金」は、1回こっきりではなく、複数回、継続的に支給することを検討していただきたいと思います。

首相　詳しくは西村大臣から答弁させていただきます。先ほど、50％に半減でない方々にどうするかということでございます。そういう方々に対しては無利子、最大5年間元本返済据え置きの融資や雇用調整助成金による人件費の補助、あるいは国税、地方税、社会保険料の猶予等、さらに持続化給付金とは別に持続化補助金を倍増して100万円、2倍に引き上げまして、そういう方々に対しては事業完了を待たずに、即座に補助金を支払う特別枠を創設します。それをぜひご活用いただきたいと思います。

先ほどから申し上げているように持続化給付金については、だいたい半年間の地代等の費用分、これは全国平均なので東京ではもっとかかることは十分承知しております。ですから、これが長引けば、さらなる対応等についても、もちろん考えていかなければならないと思っています。

志位　「長引けばさらなる対応」ということも言われたので、ぜひお願いしたいと思います。全国知事会の緊急要請でも、私が述べた「支給要件の緩和」とともに「複数回の支給」を要求しています。これも党派を超えてやるべきだと思います。

志位「イベント中止で深刻な打撃――日本の文化・芸術・スポーツを守るために補償を」
首相「ご協力に心から感謝。文化の灯は絶対に絶やしてはならない」
志位「総理が名指しで自粛を要請したのだから、特別の補償があってしかるべき」

「多くの人々の移動を止めた。それなのに補償どころか、ねぎらいの言葉さえない」（ホリプロ社長）

志位　イベント中止ということを総理も先ほど言われました。それによる損失の補塡の問題です。

パネル（4）をご覧ください。イベントの開催自粛は、総理自身が2月の段階から繰り返し名指しで行ってきたことです。それによって「ライブ・エンターテインメント」――音楽コンサート、演劇、ミュージカル、スポーツ、その他イベントがどれだけのダメージを被っているか。

ぴあ総研の調べでは、5月末までの推計で、中止・延期等した公演・試合が、15万3000本。入場できなくなった観客総数延べ1億900万人。入場料金の減少額3300億円といいます。

逆に言えば、延べ1億900万人もの人々の移動を止めているんですよ。これは巨大な社会的な貢献ではありませんか。

ホリプロ社長で日本音楽事業者協会会長の堀義貴さんは、私どもの「しんぶん赤旗」のインタビューで、次のように語っておられます。

「私たちは、感染拡大防止のため、国に協力しました。大手も小さな劇団も、人によっては倒産・解散も覚悟しながら中止を決断し、多くの人々の移動を止めたといわれています。それなのに、補償どころか、ねぎらいの言葉さえありません」

総理、この声をどう受け止めますか。

首相 私も記者会見等で申し上げてきましたが、イベント関係の皆さまはじめ、大変多くの方々の皆さまに、われわれの要請を受け入れていただき、ご協力をいただいていることに心から感謝申し上げたいと思います。そのなかでわれわれ、そういう皆さまに対してできる限り、幅広く、支援をしたいという中において、先ほど申し上げました持続化給付金という仕組みを創設しましてできるだけ早くお手元にお届けをしたい。あと、さまざまなこの流動性の確保のための対策についてもしっかりと対応していきたいと思います。

パネル4

自粛要請によるライブ・エンタテインメントへの影響（5月末までの推計値／ぴあ総研調べ）	
中止・延期等した公演・試合	15万3000本
入場できなくなった観客総数（延べ）	1億900万人
入場料金の減少額	3300億円

文化・芸術・スポーツは、「ぜいたく」でなく、「酸素」のように必要不可欠なもの

志位 「持続化給付金」と言われますが、それだけでは到底対応できない方がたくさんいらっしゃいます。エンタメ関係者からはこういう訴えも寄せられました。

「イベント中止によって最も苦しい状態に陥っているのは、『舞台を裏で支えている人々』です。音響、照明、舞台装置、衣装、メーク、グッズの制作、会場警備など、裏方の方々です。そういう方々の暮らしが立ち行かなくなれば、日本の文化・芸術は土台から崩壊し、いったん崩壊したら再生できません。文化・芸術を壊さないための補償がどうしても必要です」

指揮者の沼尻竜典さんは、こう訴えておられます。

「文化・芸術は水道の蛇口ではありません。いったん止めてしまうと、次にひねっても水が出ないことがあります。今が公演を止めるべき時期だということは分かっています。ただ、文化・芸術の蛇口に手をかけている政治家の方々には、芸術の営みを止めることへの痛みを感じる想像力を持っていただきたく思います」

総理、この声にこたえるべきであります。

ドイツの文化大臣は、「芸術家・フリーランスへの無制限の支援」を約束していま

す。文化・芸術・スポーツは、私は、人間にとって「ぜいたく」なものではないと思います。人間として生きていくために必要不可欠な、「酸素」のような貴重なものだと思います。（**「そうだ」の声**）

総理、日本の文化・芸術・スポーツを守り抜くために、補償をきちんと行う、この場で約束してください。（**拍手**）

首相　われわれの人生においても、生活においても、文化・芸術は必要不可欠だと思います。この中において、われわれどのような対応をしていくかということですが、持続化給付金については、こうした分野で頑張っている人に多いフリーランスを含む個人事業主に対しても給付をすることにしているし、これに加えて雇用調整助成金を大幅に拡充して、とくに休業要請に応じた中小企業については、休業手当の全額を日額上限の範囲で、国が肩代わりすることとしているし、スポーツ・文化のイベント中止をした際のチケット代の税制特例、税や社会保険料の猶予、実質無利子無担保、最大5年間元本返済不要の融資制度などあらゆる手段で、事業の継続と雇用の維持をはかってまいります。

またこういう国難ともいうべき事態にありますが、こういうときこそ、人々の心を癒やす文化や芸術の力が必要であり、そして、困難にあっても文化の灯は絶対に絶やしてはならないと考えております。

今般の経済対策においても事態収束後において、イベント実施に対する新たな支援制度の創設や各地の公演、展示・展覧会の開催など文化・芸術に携わる人々の活躍の場を提供するための施策を講じていく方針です。その段階になってさらに支援策を厚く講じてまいります。それまでの間、大変厳しいわけでありますが、われわれもできるかぎり、灯を絶やさないように全力を尽くしたい。

志位　イベント分野は総理が名指しで自粛を要請したわけですから、特別の補償があってしかるべきだと重ねて申し上げておきます。

志位　時間が来ましたので最後に1問だけ。

志位「収束後の事業につぎこむ予算が1・7兆円あるなら、目の前の感染爆発、医療崩壊を止め、一刻も早い収束のために使え」

首相「文化・芸術に触れようというキャンペーンも行っていく」

志位「収束できたら、プレミアをつけなくても、みんなイベントに行く」

「ただちに補償を」と求めるみなさんから共通して出された政府の補正予算案に対する批判があります。それは、「〝Ｇｏ Ｔｏ〟キャンペーン事業」――新型コロナが収束した後に「官民一体型の消費喚起キャンペーンを実施する」という事業に1・7兆円ものお金をつけていることです。この非常事態のもとで、収束後の事業にのんきにお金を付けている場合かという怒りが広がっています。

収束のメドがつかないもとで、収束後の事業につぎこむ予算が1・7兆円もあるのなら、まずは目の前の感染爆発、医療崩壊を止め、一刻も早い収束のために使うべきではありませんか。総理、どうでしょうか。

首相 いま申し上げました、文化・芸術振興のための予算も、「〝Ｇｏ Ｔｏ〟キャンペーン事業」に入っている。こういう文化・芸術に触れようというキャンペーンも行っていくわけです。いま厳しい状況ではありますが、収束後について、いつ収束するのかについてはまだ確たることはお答えできないが、その後にしっかりと、いま大変苦しい思いをしている皆さんにとって、将来のともしびとなるような政策もしっかりと示していくことが必要だと考えているところです。

志位 文化のお金も「〝Ｇｏ Ｔｏ〟キャンペーン事業」に入っているというが、収束できたら、そんなプレミアをつけなくてもみんな（イベントに）行きますよ（**「そうだ」の声**）。早く収束させることが重要なんです。

補正予算案が、感染爆発と医療崩壊を止め、暮らしと営業を守り抜く内容となるよう、抜本的な組み替えを強く求めて、質問を終わります。（**大きな拍手**）

（「しんぶん赤旗」２０２０年5月1日付）

コロナ危機は日本と世界のあり方を問うものとなっている

志位和夫委員長の発言

新型コロナウイルスの世界的感染拡大で、国際的に政治と社会のあり方が根本から問い直される状況になっています。この問題について日本共産党はどう考えるのか。志位和夫委員長は2020年5月14日、記者団から「いわゆる『ポストコロナ』についてどういう社会像を目指すべきだと考えるのか」と問われ、次のような見解を述べました。（整理・加筆を行っています）

いま起こっている新型コロナウイルスのパンデミック（世界的大流行）は、人類の歴史のなかでも最も深刻なパンデミックの一つになっていると思います。

いわゆる「ポストコロナ」ということとの関わりで、私がいま考えていることを若干、述べますと、このパンデミックは、「日本と世界のあり方はこれでいいのか」ということを問うものとなっていると思います。いろいろな角度があると思うんですが、三つほど言いたいと思います。

新自由主義の破綻が明らかに——政策の大転換が必要

一つは、新自由主義の破綻が明らかになったということです。新自由主義——すべてを市場原理にまかせて、資本の利潤を最大化していこう、あらゆるものを民営化していこうという流れが、今度のパンデミックによって破綻がはっきりしました。

それは、EU（欧州連合）によって医療費削減などの緊縮政策を押し付けられた国ぐにが大きな犠牲を強いられているということを見ても明らかです。

日本を考えてみても、「構造改革」の掛け声で、医療費削減政策が続けられ、急性期のベッドを減らしていく、公立・公的病院を統廃合していく、どんどん保健所を減らしていく、こういうやり方によって、日常的に医療の逼迫状況をつくってしまったことが、こういう危機に対してたいへんに脆弱な状態をつくりだしています。

雇用を考えても、労働法制の規制緩和を続けて、「使い捨て労働」を広げてしまった。人間らしく働けるルールを壊してきた。そのことの矛盾が、いまコロナ危機のもとで、派遣やパートで働く人々の雇い止めという形で噴き出しています。

新自由主義による社会保障・福祉の切り捨て路線を転換して、社会保障・福祉に手厚い国をつくる、労働法制の規制緩和路線を転換して、人間らしい労働のルールをしっかりつくりあげていくことが強く求められていると思います。

経済全体のあり方も、これまでのような、一方で内需・家計に犠牲を負わせながら、もっぱら外需に依存してきた経済のあり方、さらには、人々のケア（医療・介護など）に必要な物資、食料、エネルギーをも海外に頼ってきた経済のあり方が、この機会に見直されるべきだと考えます。内需・家計を経済政策の軸にすえる、人間の命にとって必要不可欠なものは自分の国でつくる――そういう経済への転換が求められているのではないでしょうか。

そして強調したいのはジェンダーの視点です。パンデミックのもと、ジェンダー差別が深刻となる事態も起こっており、コロナ対策でもジェンダーの視点をつらぬくこと、ジェンダー平等社会をつくっていくことも、切実な課題となっていると思います。

資本主義のもとでの格差の異常な広がり――危機のもとで顕在化し、激化している

二つ目に、私は、資本主義という体制そのものが、今度のパンデミックで問われているように思います。

今年1月の党大会で、私たちは綱領一部改定を行い、世界資本主義の矛盾の集中点として、格差拡大と環境破壊ということを特に綱領に明記しました。今度のパンデミックというのは、世界資本主義の矛盾の二つの集中点で、矛盾が顕在化し、激化しているというのが現状だと思います。

格差拡大という点では、ウイルス自体は富めるものと貧しいものを区別しませんが、感染症による犠牲は、富めるものと貧しいものに平等に降りかかっているわけではありません。一番の犠牲になっているのは貧困のもとに置かれている人々です。

アメリカの状況をみましても、黒人やヒスパニックの方々のなかで死者が多い。格

差拡大という問題がパンデミックのもとアメリカでも大問題になっています。日本でも、経済的・社会的に弱い立場に置かれている人々に大きな犠牲が強いられています。

格差拡大の問題は、先進国の内部の問題だけではありません。先進国と途上国の格差拡大の矛盾もパンデミックのもとで噴き出しています。とくに多くの途上国で、医療体制などが弱いもとで、多くの犠牲が出ることが強く懸念されています。

21世紀の資本主義のもとでの格差の異常な拡大——先進国の国内でも、世界的な規模でも、格差が異常なレベルまで拡大している、その矛盾が、パンデミックのもとで顕在化し、激化しています。パンデミックは、「こういう体制を続けていいのか」という問題を人類に突き付けているのではないでしょうか。

背景に無秩序な生態系への侵入・環境破壊——気候変動と同じ根をもつ

資本主義の体制的矛盾にかかわって、もう一つ、この体制のもとでの地球規模での環境破壊という問題が、パンデミックに深くかかわっています。

人類の歴史のなかで、感染症の流行は、人類が定住生活を始めたとき以来のものと言われています。

ただ、この半世紀くらいは、新しい感染症がつぎつぎと出現しています。エイズ（後天性免疫不全症候群）、エボラ出血熱、SARS（重症急性呼吸器症候群）、今回の新型コロナウイルス感染症などです。半世紀で数十の新しい感染症が出現しているといわれています。（厚生労働省によれば、ここ30年の間に少なくとも30の感染症が新たに発見されています）

なぜそうなるのか。一つの背景として、多くの専門家が共通して指摘しているのが、人間による無秩序な生態系への侵入、環境破壊、これらによって動物と人間の距離が縮まって、それまで動物がもっていたウイルスが人間にうつってくる。そういうことによって新しい感染症が出現する。あるいは地球温暖化によって、すむ場所を奪われた動物が人間と接触する。こういう問題も言われています。

私は、先日、「改定綱領学習講座」のなかで、地球規模での気候変動について、マルクス『資本論』の一節を引用して、資本主義のもとでの「物質代謝の攪乱（かくらん）」ということを述べました。「攪乱」の結果があらわれるスピードは、気候変動とパンデミックは全く違いますが、利潤第一主義のもとでの「物質代謝の攪乱」という点では、両者は同じ根をもつものといわなければなりません。感染症の多発という問題の背景にも、資本主義の利潤第一主義のもとでの自然環境の破壊という問題が横たわっているのです。

こうして、格差拡大という点でも、自然環境の破壊という点でも、利潤第一主義を本性とする資本主義という体制そのものが、私は、パンデミックのなかで問われているると思っております。

環境破壊を顧みることのない利潤第一主義という生産様式を変えなければ、新型コロナを収束させたとしても、次のより危険なパンデミックに襲われる可能性もあることを、指摘しなければなりません。

格差の問題、環境破壊の問題は、もちろん資本主義のもとでもその解決のために最大の力を注がなければなりません。同時に、今回のパンデミックは、資本主義という体制を続けていいのかを問うものともなっていると思います。

国際社会の秩序が試されている——多くの国ぐにと民衆の連帯で危機の克服を

三つ目に、国際社会の秩序が試されているということです。端的に申しまして、このような深刻なパンデミックに遭遇しても、国際社会がこれに協調して立ち向かえているとはいえないという問題があります。

一方で、世界最大の資本主義大国であるアメリカが、「自国第一主義」の立場に立ち、国際的な協力によってパンデミックを乗り越えるという取り組みに背を向けているという大きな問題があります。ＷＨＯ（世界保健機関）に対する拠出金を停止するなどというふるまいは、——この機関の新型コロナへの対応に対して今後検証が必要になる問題点があるにしても——愚かというほかなく、アメリカへの信頼をいよいよ低下させるだけといわなければなりません。

他方で、世界第2の経済大国である中国は、人権侵害と覇権主義という体制的な問題点が、パンデミックを通じて現れています。中国の初動の遅れは、明らかに人権の欠如という体制の問題点と結びついたものでしたし、中国指導部が、パンデミックのもとでも東シナ海、南シナ海などでの覇権主義的行動をやめようとしていないことも、国際協調にとって障害となっています。

こうして、危機のもと米中双方が対立しあう、覇権争いをするという状況が、残念ながらいま生まれています。

そういうもとで、国連安全保障理事会が機能していません。これは非常に残念な事態であります。感染症については、たとえば米ソ冷戦のさなか——米ソが核兵器の軍拡競争をやっている最中でも、天然痘根絶プログラムでは米ソは協調しました。ポリオについても生ワクチン実用化にむけて米ソ協力が行われました。最近でも、エボラ出血熱が２０１４年に問題になったときには、アメリカもオバマ政権が積極的に対応して、安保理決議によって、「国連エボラ緊急対応ミッション」の設立がうながされ、国際的な協調でエボラウイルスを抑え込みました。

ところが今回は、そうした国際的な協調がいまやれないでいるというのは、非常に大きな問題だと、私は思います。

パンデミックは、すでに途上国でも大変

に深刻な事態になっています。今後さらに途上国で深刻化することが共通して危惧されています。

　私は、米中に対して、覇権争いをやっているときではない、この問題については協調すべきだと言いたい。パンデミックの収束のために米中は世界に対する責任を果たすべきだと強く言いたいと思います。

　何よりも、世界の多くの国ぐにと民衆が連帯して、このパンデミックを乗り越えることが強く求められていると思います。日本での収束とともに、そのために力をつくしていきたいと考えています。

　人類がこの危機に際して、そうした連帯と協力ができるかどうかによって、次の世界のあり方も決まってくるだろう――こう私は考えています。

　何よりも目の前にある死活的な仕事――新型コロナウイルスを収束させ、国民の命と暮らしを守り抜く仕事をしっかりとやりながら、コロナ収束の先は、前の社会に戻るのでなく、日本でも世界でも、よりよい社会をつくっていく。改定綱領を力に、そういう展望をもって頑張りたいと思います。

（「しんぶん赤旗」２０２０年5月18日付）